Club
PASSION

Dans la même collection

SANDRA BROWN

OTAGE DANS LES ROCHEUSES

PRESSES DE LA CITÉ
PARIS

Titre original :
HAWK O'TOOLE'S HOSTAGE

Première édition publiée par Bantam Books, Inc., New York, dans la collection Loveswept ®. Loveswept est une marque déposée de Bantam Books, Inc.

Traduction française de Louis Sapin

© 1988 by Sandra Brown
© Presses de la Cité, 1989 pour la traduction française
ISBN : 2-258-02877-9

1

SIFFLANT et crachant des nuages blancs comme neige, le train à vapeur de la Pacific Transwestern cheminait gaiement à travers les prairies. Une trentaine de touristes se prélassaient à bord. C'était l'excursion de Silverado : pour moins de vingt dollars, on pouvait ainsi s'offrir un merveilleux voyage dans le temps, au pays des pionniers du Far West.

A la sortie du tunnel de Greystoke, un groupe de cavaliers apparut sur la crête des montagnes. Leurs chevaux soulevèrent des nuages de poussière ambrée. C'était un peu comme si Butch Cassidy et Billy le Kid étaient redescendus sur terre, avec leur escorte de hors-la-loi musclé. Cette apparition étrange faisait oublier qu'on était à moins de cent kilomètres d'une des villes les plus modernes du monde.

— Maman! s'exclama Scott Price. Ils vont attaquer le train! Ils vont attaquer le train!

Randa fronça les sourcils. Les hommes masqués approchaient. On entendait déjà claquer les sabots des chevaux et la rumeur d'une cavalcade endiablée. Il y avait même de quoi avoir peur.

– Chéri! s'exclama une dame. Ils ne nous ont pas dit qu'il y avait une attaque, quand on a acheté les billets, je t'assure.

– Évidemment qu'ils n'allaient pas nous le dire, Elizabeth! C'est pour étonner les enfants, voyons! répondit l'Anglais qui l'accompagnait. Remarque, c'est drôlement bien fait.

Randa Price était du même avis. La fausse attaque médusait les passagers. Son fils Scott ouvrait lui aussi de grands yeux émerveillés et craintifs. Il venait d'avoir six ans.

Les cavaliers bloquèrent la voie, à cent mètres du train. La machine stoppa avec d'énormes soupirs et bien des grincements. Vêtus de de noir et de poussière, avec leurs cagoules informes, leurs chevaux haletants, ils faisaient peur à voir. Le plus costaud s'adressa aux passagers, d'une voix dure et tendue :

– Restez calmes, messieurs dames! Que personne ne bouge de son siège et tout se passera bien!

Les gens pensèrent qu'il était bon acteur, mais qu'il devait malheureusement être au chômage, pour faire ce genre de métier d'appoint. On devait le payer trois fois rien, alors qu'il jouait son rôle à la perfection. Les costumes n'étaient pas mal non plus. L'homme portait un pantalon de cuir fauve, une chemise noire et un chapeau de cow-boy rabattu vers l'avant, si bien qu'on ne lui voyait même pas les yeux. La cagoule étouffait sa voix. Il était grand. De chaque côté de ses hanches pendait un énorme colt à cran d'arrêt, plus vrai que nature.

Il sauta de cheval, et dédaigna son revolver, qu'il pointa vers le compartiment des Price.

— Ils vont nous prendre tout ce qu'on a, m'man? demanda le petit garçon.

Randa secoua la tête.

— Non, mon chéri! Ce ne sont pas de vrais voleurs. C'est comme au cinéma, tu comprends?

Mais elle ne quitta pas des yeux l'homme masqué qui s'avançait. Il releva le bord de son chapeau poussiéreux. Randa en frémit de la tête aux pieds. Le regard de l'inconnu lui fit l'effet d'un coup de poignard. Ses yeux, d'un bleu froid comme les torrents, la dévisagèrent avec hostilité.

— Vous allez nous vider les poches? crâna l'Anglais, d'un air condescendant.

— Ça ne fait pas de doute, monsieur, rétorqua l'homme masqué d'une voix cynique.

L'Anglais sourit, sortit de sa poche revolver une liasse de billets de vingt dollars et plusieurs cartes de crédit.

— Tu ne vas quand même pas lui donner ça, Johnny! s'inquiéta la dame.

— T'en fais pas, mon ange, c'est pour rire.

Et il tendit sa carte Américan Express à l'homme en noir.

— Ne partez pas sans elle, blagua l'Anglais.

Les autres passagers éclatèrent de rire. L'homme masqué s'empara du butin. Ses yeux jetaient des éclairs. Randa commençait à se poser des questions. L'inconnu jouait trop bien son rôle pour ne pas l'inquiéter.

— Ne faites pas cette tête-là, mon vieux, reprit

9

l'Anglais. Prenez ça aussi, vous n'aurez pas perdu votre journée...

L'homme en noir garda son revolver pointé sur l'Anglais mais il se tourna vers Scott, qui lui sourit.

– Bonjour, m'sieur.

– Bonjour, petit. Tu viens faire un tour à cheval avec moi? Après, on partage ça, d'accord?

Scott bondit sur ses pieds, enflammé à l'idée de chevaucher avec un héros, à travers la plaine.

– C'est vrai, m'sieur? Vous m'emmenez avec vous?

Randa s'interposa:

– Écoute, mon chéri, je ne veux pas que tu...

– Tout se passera bien, madame, coupa l'homme en noir.

Et son regard d'acier, une seconde fois, se planta en elle comme un poignard. L'expression belliqueuse des yeux bleus contrastait avec ses propos apaisants. L'homme tendit sa main libre à Scott qui enjamba les genoux de sa mère et sauta hors du train. Les autres enfants du convoi lui jetèrent des regards envieux.

– Vous voyez bien que c'est un jeu, déclara l'Anglais. Les autres gosses le savent bien, eux... Il n'y a que les femmes pour être aussi méfiantes. Je vous jure! Va donc faire un tour avec ce cow-boy, mon garçon, ça te fera des souvenirs...

Randa se leva d'un bond.

– Je ne veux pas que mon fils sorte du train! s'exclama-t-elle.

Les yeux de l'homme masqué la toisèrent avec mépris.

– Je vous ai dit que tout se passerait bien, madame.

– Où l'emmenez-vous?

– Faire un tour à cheval, je vous l'ai dit.

– Pas sans ma permission.

– Oh, maman, je t'en prie! intervint Scott.

– Vous n'allez pas jouer les mères poules madame, renchérit l'Anglais. Laissez-le s'amuser un peu, ce gosse... Ça fait partie de l'excursion, vous voyez bien.

Randa l'ignora et, à son tour, descendit du train.

L'homme masqué prit Scott par la taille et grimpa sur son cheval roux avec l'enfant. Puis il se retourna vers Randa :

– Restez où vous êtes, madame, lui intima-t-il. C'est un conseil que je vous donne.

– Qu'est-ce qu'il est grand, ce cheval, maman! On est drôlement haut, tu sais...

Les autres cavaliers se regroupèrent autour de leur chef. Derrière les cagoules, leurs yeux angoissés virevoltaient à droite, à gauche, comme si Randa venait de mettre en péril un coup bien préparé.

– Attrape la crinière, Scott, commanda l'homme masqué. Tu verras, ça va être formidable...

Randa ouvrit des yeux horrifiés: l'inconnu connaissait le prénom de son fils! Laissant parler son instinct maternel, elle s'élança vers le cheval du bandit et saisit les rênes pour l'empêcher de partir. Une rumeur parcourut le groupe des cavaliers, puis des passagers, qui commençaient à trouver la scène étrange.

Deux hommes sautèrent de cheval. Ils saisirent brutalement Randa par le bras.

– Non, laissez-la, commanda leur chef. On file, les gars...

L'inconnu pointa son arme sur la jeune femme qui recula d'un pas, buta sur une pierre et se fit mal à la cheville. Elle poussa un cri.

– Retournez vous asseoir dans le train, ordonna-t-il.

– Laissez descendre mon fils, et je ferai ce que vous demandez.

– Je vous ai dit que nous ne lui ferions pas de mal. Maintenant, retournez là-bas, sinon...

– Faites ce qu'il dit, madame, dit une voix, derrière Randa.

C'était celle du conducteur du train. Son air grave exprimait une sorte de terreur.

– Faites ce qu'il dit, madame, reprit-il, c'est sérieux. Je ne sais pas ce qu'ils veulent, mais il ne s'agit pas d'enfants de chœur, croyez-moi. La compagnie n'a jamais prévu ça. Vous pensez, je serais au courant...

Des cris fusèrent tout le long du train. Chacun se replia au fond des compartiements.

– Descends tout de suite, Scott! hurla Randa, affolée.

– Oh, pourquoi, maman?

– Fais ce que je te dis, descends! Vite!

La panique de Randa alerta l'enfant qui voulut obéir.

— Je... je ne peux pas bouger, maman. Il me tient. Lâchez-moi, m'sieur! J'veux descendre! J'veux descendre...

D'autres cris jaillirent du train. Scott réalisa lui aussi qu'il ne s'agissait pas d'un jeu, mais de quelque chose de grave et de dangereux. L'homme masqué lui faisait mal en le serrant contre lui.

— Maman! cria-t-il comme un oiseau pris au piège.

Randa bondit en avant, martela de coups de poing les cuisses du bandit, puis les flancs du cheval.

— Rendez-moi mon fils!

L'homme la renversa de son pied botté. Elle tomba à la renverse et mordit la poussière. Poussée par son instinct, elle revint à l'attaque et, d'un geste rapide comme l'éclair, elle tendit les bras vers Scott qui s'accrocha à ses épaules et s'arracha, de toutes ses forces, à l'étreinte du cavalier. Randa, aussitôt, se mit à courir vers le train. Elle fut stoppée, net, par deux poignes de fer, au bout de quelques pas.

Les cris énervaient les chevaux. Les bandits ordonnèrent au mécanicien de remettre le train en marche. Sous la menace d'un revolver, l'homme obéit. Un nuage de vapeur blanche jaillit vers l'azur. Les deux hommes chargèrent ensuite Randa sur leurs épaules, et rendirent Scott à leur chef.

— Non, donnez-la-moi, ordonna-t-il dans une langue inconnue, et occupez-vous de l'enfant.

Puis, lorsque Randa fut installée à califourchon devant lui, sur la selle brûlante du cheval roux:

– Tout aurait été si simple sans vous, murmura-t-il à travers la cagoule noire, et ce d'une voix haineuse.

Scott avait été chargé sur un autre cheval. Il hurlait à tue-tête. Ses cris étaient couverts par le bruit du train qui s'éloignait.

– Je veux rester avec Scott, criait Randa. Je veux rester avec Scott...

– Cessez de gigoter comme ça, Randa Price, assena l'homme, et nous ne lui ferons aucun mal. Suis-je assez clair?

– Espèce de brute! Je vous tuerai si vous osez lever la main sur lui...

Nullement impressionné, l'homme lui tordit le bras dans le dos, pour l'immobiliser. Puis il lança son cheval au galop dans la prairie immense. Les autres cavaliers suivirent aussitôt.

Une demi-heure plus tard, ils traversèrent une forêt de pins sylvestres qui embaumaient. Puis ce fut un sol dur où claquaient les sabots des chevaux. Randa, les bras derrière le dos, s'agrippait à la taille du cavalier masqué. Elle avait peur de tomber, peur des précipices, car ils abordaient la montagne, les contreforts des Rocheuses où la nuit menaçait.

Et si elle avait peur, elle, une grande personne, combien plus grande devait être la terreur de Scott! L'enfant avait pleuré pendant presque tout le trajet.

Parvenu sur la crête des montagnes, l'étalon ralentit. Son cavalier serra d'un peu plus près la prisonnière. Il savait qu'elle était capable de tout, même de s'enfuir à travers bois, dans cette région où vivaient encore quelques loups polaires.

– Dites à votre fils de cesser de pleurer, ordonna-t-il.

– Vous, fichez-moi la paix!

– J'aimerais bien, savez-vous, mais vous ne nous avez pas laissé le choix, Randa Price. Remarquez, si vous insistez, je peux vous abandonner ici, la forêt est infestée de loups et de coyotes...

– Vous ne me faites pas peur, espèce de brute!

– Calmez-vous, ma belle, si vous ne voulez pas qu'on s'en prenne au petit. Je ne vous le dirai pas cent fois...

Randa se retourna. Derrière la cagoule poussiéreuse, le regard bleu restait froid comme le marbre. Exaspérée, Randa arracha le masque de tissu noir. Elle avait voulu confondre l'inconnu mais ce fut elle qui eut le souffle coupé.

C'était un Indien, un Indien aux yeux bleus. Il était beau. Dans l'obscurité ambiante, ses traits mâles et vigoureux donnaient l'impression d'avoir été dessinés avec une règle et un pinceau trempé dans de l'ocre rouge. L'éclat irréel et glacé de ses yeux bleus brûlait dans ce visage ensoleillé comme une énigme. Il avait le visage d'un dieu de bande dessinée, d'un héros des *Mille et Une Nuits*, revu et corrigé par Hollywood. Randa n'en revenait pas. Sa désastreuse situation devint, d'un coup, aussi surréaliste qu'un rêve de jeune fille. Par contraste, la réalité lui parut d'autant plus cruelle. Il commençait à faire froid. Mais surtout, elle avait peur, peur de ce qui les attendait, elle et son fils, dans ces montagnes hostiles, aux mains d'une bande d'Indiens hors-la-loi, sans doute prêts à tout.

— Dites à votre fils de se taire, reprit l'Indien d'une voix menaçante.

Terrifiée, Randa se mit à trembloter. Elle eut en même temps conscience de perdre le sens des proportions. Le souvenir jaillit en elle des recommandations de son professeur de yoga. En quelques secondes, elle fit le tour du problème. On les avait enlevés. Bien sûr, ces hommes ne s'étaient pas donné tout ce mal pour les supprimer ensuite à la légère. Scott et elle devaient même représenter beaucoup à leur yeux. En revanche, il ne fallait pas les provoquer. Ils pouvaient perdre leur sang-froid pour une bêtise.

— Scott? appela-t-elle.

Un des hommes braqua une lampe de poche sur le visage du petit garçon qui retira ses poings de ses yeux rouges et emplis de larmes.

— Maman! hurla-t-il, aveuglé. Maman!

— Je suis là, mon chéri, dit Randa avec douceur. Sois un grand garçon, ne pleure plus. Tu te fatigues inutilement. Ne t'en fais pas, mon petit chou, on sera bientôt arrivé. Je te le promets...

— Je... je... je veux rentrer à la maison.

— Je sais, Scott. Moi aussi. On va rentrer, ne t'en fais pas, mais pour l'instant, ne pleure plus, d'accord? Regarde plutôt les étoiles apparaître. Tu verras, c'est très beau...

Scott ravala un sanglot, puis il redressa fièrement les épaules.

– D'accord, m'man.

Randa dévisagea l'Indien.

– Est-ce qu'il peut..., commença-t-elle.

– Non.

Ignorant le regard haineux qu'elle lui jeta, l'Indien se retourna vers ses hommes, pour donner des ordres dans une langue étrange et belle. Puis le convoi repartit au trot.

Randa eut envie de pleurer.

– Mais enfin, qui êtes-vous? explosa-t-elle. Que nous voulez-vous? On ne faisait rien de mal dans ce train...

– Accrochez-vous au lieu de rêvasser, répondit-il. La nuit tombe, on va galoper. Et si vous n'arrivez pas à vous concentrer sur cette crinière, dites-vous que vous pouvez être morte demain, ça vous remettra les idées en place...

Sur ce, il l'attira un peu brutalement contre lui et éperonna leur cheval. L'étalon reprit de la vitesse malgré l'irrégularité du sol. Randa était en jupe. La selle de cuir chaude lui brûlait les cuisses. L'Indien la serrait de ses grandes mains gantées, tout en tenant les rênes. Cette avalanche de sensations inhabituelles contrastait en elle avec la peur et la colère. Elle avait envie de gifler l'Indien, de lui porter un coup fatal. Or, en même temps, elle aimait le contact de leurs deux corps, la folie de cette cavalcade nocturne vers des sommets inconnus. Le cheval grimpait une pente assez raide, tandis que la Grande Ourse apparaissait devant eux, immense sur le lapis-lazuli du ciel.

Scott s'était remis à pleurer. Il y avait de quoi. Le sommet du mont, tout proche, donnait une sensation de danger, due aux ravins environnants.

– Cet homme qui est avec Scott, demanda Randa, c'est un bon cavalier? S'ils faisaient une chute, ici, ce serait terrible...

– Ernie est quasiment né sur un cheval, madame. Ne vous inquiétez pas pour ça. Il s'occupera bien de votre fils car il adore les enfants. C'est un père de famille nombreuse!

– Alors, il doit comprendre ce que je ressens! Où nous emmenez-vous?

– Vous le saurez bien assez tôt.

Un silence hostile suivit. Randa décida de se taire, ne serait-ce que pour priver l'Indien du plaisir de la terroriser avec ses réponses. Au même instant, le cheval perdit l'équilibre et poussa un hennissement affreux. Randa sentit un bras de fer se refermer autour de sa taille. L'Indien ne la relâcha que lorsqu'il eut maîtrisé l'animal. Au moment où ils avaient failli tomber, Randa s'était rattrapée à la ceinture du cavalier. Un instant, elle avait senti sous ses doigts la crosse du revolver, froide et métallique.

Le revolver! Comment n'y avait-elle pas pensé plus tôt? se demanda-t-elle. Il suffisait de détourner l'attention de l'Indien, puis de le menacer, voire de leur tuer pour effrayer les autres. Après tout, elle était en état de légitime défense! Avec un peu de chance, elle pourrait reprendre le même chemin sans se tromper. La police et les journalistes devaient être arrivés sur les lieux de l'enlèvement. Avec un revolver, elle pourrait facilement se faire remarquer...

Bien sûr, il fallait d'abord tromper l'Indien. Pour cela, il n'y avait qu'un moyen; celui que les femmes utilisaient depuis toujours contre la force, et qui avait fait plus d'une fois ses preuves. Randa était très jolie. Elle le savait et, bien qu'à contre-cœur, elle se résolut à jouer bassement de ses charmes.

Pour commencer, elle envoya ses cheveux voler contre le visage de l'Indien. Elle savait que leur parfum plaisait aux hommes. Le père de Scott en avait été fou, et il n'avait pas été le seul. Puis, petit à petit, insidieusement, elle moula ses jambes à celles du cavalier, puis son dos contre ses pectoraux puissants. Enfin, elle blottit ses hanches entre les cuisses de l'homme. Facilitée par la pente de la montagne – ils approchaient du sommet sa position pouvait, à la limite, sembler naturelle.

La réaction de l'Indien se fit rapidement sentir. Il joua le jeu et un moment ses lèvres s'égarèrent dans la crinière blonde de Randa. Encouragée, elle pencha la tête en arrière, comme on fait pour se reposer la nuque après une grande fatigue. Puis elle se cambra et, soulevant ses seins comme pour reprendre haleine, elle tendit la main vers le revolver.

L'Indien fut plus rapide qu'elle. Randa crut qu'il lui brisait le poignet. Elle poussa un long cri de douleur et de dépit. Elle avait perdu. L'avenir semblait plus noir que jamais. L'Indien lui tordit le bras derrière le dos, l'éloignant de lui du même coup. Un nouveau cri suivit.

– Maman? Maman? hurla Scott, affolé. Qu'est-ce que tu as?

L'Indien serra davantage. La douleur était insupportable. Randa avait l'impression que son coude allait se briser en mille esquilles.

– Rien, mon chéri. Il n'y a rien. Et toi, ça va?

– J'ai soif et j'ai envie de faire pipi.

– Dites-lui qu'on est presque arrivés, commanda l'Indien.

Randa obéit. Il la relâcha. Scott se tut.

Les chevaux commencèrent leur descente vers une vallée perdue entre ciel et terre. Un point lumineux scintillait en contrebas. C'était un feu de camp dans la nuit.

– Si vous avez envie de jouer au chat et à la souris avec moi, vous n'aurez plus longtemps à attendre, Randa Price. Nous arrivons.

Blessée dans son orgueil et terrifiée par les menaces de l'Indien, Randa se raidit. Elle sentait d'instinct qu'il était tout à fait capable de passer aux actes.

– Ne recommencez jamais ce que vous venez de faire, ajouta-t-il d'une voix terrible. Sinon, vous savez ce qui vous attend. Ça fait vingt minutes que vous vous frottez contre moi; vous savez à quoi vous en tenir, non?

– Pardonnez-moi, capitula-t-elle, j'ai fait cela pour Scott.

20

Dans la vallée, un groupe d'hommes les attendait autour du feu. Des camions stationnaient en cercle et formaient une sorte de rempart contre la montagne et la nuit. Au centre, on avait installé quelques tentes autour du brasier. Les hommes parlaient une langue incompréhensible, aux sonorités étranges et gutturales. Ils accueillirent leur chef avec des cris de joie. Le calme retomba aussitôt lorsqu'ils posèrent les yeux sur Randa, dont l'air coupable et belliqueux ne présageait rien de bon. La longue chevauchée l'avait beaucoup fatiguée. Elle eut l'impression de peser une tonne lorsqu'elle mit pied à terre. En fait, elle tenait à peine debout.

Scott courut vers elle pour se blottir dans ses jupes. Randa laissa des larmes d'épuisement couler sur ses joues puis, après s'être essuyée, elle s'agenouilla pour embrasser son fils.

— Ça va, mon petit bonhomme, dis?

Une grande ombre noire vint couvrir la mère et l'enfant. Scott leva des yeux hostiles vers l'Indien qui s'était approché, aussi silencieusement qu'un tigre affamé. Il avait enlevé ses gants et son chapeau. Ses cheveux drus étaient aussi noirs que la nuit. Le feu jetait des ombres rouges sur son visage.

Scott prit son élan et, de toutes ses forces, avant que Randa ait pu l'en empêcher, il donna de grands coups de pieds dans les tibias de l'Indien. Puis il lui martela violemment les cuisses, avec ses petits poings fermés.

— Qu'est-ce que t'as fait à ma maman? hurla-t-il

21

d'une voix méchante. Je te tuerai, si tu recommences, t'as compris? T'as qu'à laisser ma maman tranquille...

L'indien s'agenouilla. Il prit Scott par les épaules.

– Tu es courageux, dit-il. J'aime ça.

La voix grave calma aussitôt l'enfant. Après un silence, de grosses larmes de soulagement roulèrent sur ses joues roses.

– Tu as raison, reprit l'Indien. On n'arrive à rien, dans la vie, tant qu'on n'a pas eu le courage d'affronter plus fort que soi. Souviens-toi de ça.

Les autres s'étaient rassemblés autour de leur chef, mais Scott n'avait d'yeux que pour le géant brun agenouillé devant lui.

– C'est très noble, aussi, de vouloir défendre sa mère comme tu viens de le faire.

Sur ce, l'Indien exhiba un couteau à la lame étincelante, petit mais solide, qu'il promena devant le nez de Scott. Randa en avala de travers. L'Indien ne s'en tint pas là. Il lança l'arme en l'air, comme Fred Astaire jonglait avec ses hauts-de-forme, et la réceptionna, bien en main, après un double looping des plus impressionnants. Randa était morte d'inquiétude. Elle n'osait pas intervenir, de peur d'aggraver encore la situation. Alors l'Indien tendit le manche d'ivoire à Scott, avec un merveilleux sourire.

– Prends ça, ordonna-t-il, et garde le toujours sur toi. Si jamais tu entends encore ta mère crier à cause de moi, tu pourras toujours me régler mon compte avec ça, compris?

Puis il murmura, à l'oreille de Scott :

– Je te conseille de frapper là...

Et il mit la main sur sa poitrine, à l'emplacement du cœur.

– ... C'est facile et ça marche à tous les coups.

Scott prit un air grave et sérieux. On lui avait appris à ne jamais accepter le moindre cadeau venant d'un étranger. Cependant, il ne consulta même pas sa mère des yeux. Elle en fut presque choquée. Pour la deuxième fois de la journée, il obéissait à cet Indien de malheur, sans du tout se soucier d'elle. C'était loin d'être dans ses habitudes, car il avait une vraie dévotion pour Randa. A croire que le charisme de l'Indien avait quelque chose de surnaturel. Ses hommes adoptaient eux aussi une attitude révérencieuse, lui vouant une admiration sans bornes qui se voyait au premier coup d'œil.

Randa regarda autour d'elle. Les hommes s'étaient démasqués. Ils étaient tous américains, comme Scott et elle, et pourtant différents. Toute la noblesse et la douleur de la race indienne émanait d'eux, si clairement que n'importe qui aurait pu s'en rendre compte. Leurs visages burinés exprimaient aussi une mystérieuse douceur, une sorte de bonté impossible à extérioriser. Elle se manifestait, au premier abord, par une expression froide, insensible aux petits choses de la vie, aux petits malheurs comme aux petits bonheurs. Instinctivement, on sentait qu'ils en avaient vu de toutes les couleurs, qu'ils revenaient de loin. On avait envie, sans savoir très bien pourquoi, de baisser les yeux devant eux.

Ernie, l'homme qui avait pris Scott sur sòn cheval, se distinguait des autres par son âge avancé. Ses longs cheveux gris tombaient de chaque côté de son visage ridé, partagés au milieu du crâne par une raie bien nette. Il fumait la pipe. Une grande sagesse émanait de ses petits yeux sombres profonds comme des abîmes. Un sourire lui éclaira le visage lorsque Scott dit, après s'être saisi du couteau d'ivoire :

— Je m'appelle Scott Price.

— Enchanté, Scott, répondit l'Indien en lui serrant la main. Moi, c'est Hawk.

— Hawk? J'ai jamais entendu ce nom-là! T'es un cow-boy?

— Non, tu n'y es pas du tout, petit.

— Pourtant, tu es habillé en cow-boy, tu montes à cheval et t'as de gros revolvers à la ceinture...

— Oui, aujourd'hui, exceptionnellement. Mais d'habitude, je suis ingénieur.

Scott essuya les larmes qui mouillaient encore ses joues. Le groupe des curieux se dispersa peu à peu.

— Ingénieur dans les trains?

— Non, ingénieur des mines, Scott.

— C'est quoi, des mines?

— Je t'expliquerai ça un autre jour. C'est un peu compliqué, et il est tard.

— Bon, dis, il faut que j'aille aux toilettes, Hawk.

— Ernie va t'accompagner dans les bois. Essaie de penser à lui comme à ton ange gardien, d'accord?

— D'accord.

24

– On te donnera quelque chose à boire, quand vous serez revenus.

– J'ai faim, aussi.

– Ne t'inquiètes pas, va, conclut l'Indien, en tapotant l'épaule de Scott. Tu ne manqueras de rien, ici.

Ernie se leva et tendit la main à son protégé. Ensemble, l'homme et l'enfant marchèrent vers la forêt noire et menaçante. Randa voulut les suivre, mais l'Indien l'en empêcha. Il l'avait saisie au poignet, un peu rudement.

– Où allez-vous? demanda-t-il.

– M'occuper de mon fils.

– Il se passera très bien de vous.

– Fichez-moi la paix.

Comme elle refusait d'obéir, il lui plia le bras derrière le dos. Randa fut plaquée contre un sapin immense, au tronc gras. L'Indien la serra entre son propre corps et l'arbre. Ses yeux bleus allaient et venaient sur la gorge et la poitrine de Randa, sur son visage effaré.

– On dirait que vous aimez la bagarre, dit-il en approchant ses lèvres de la bouche de Randa. Non?

2

Eт il l'embrassa. Sa bouche s'empara violemment des lèvres de Randa. Lorsqu'il l'eut capturée contre lui, son baiser se fit plus tendre et plus pénétrant. Puis il la relâcha. Tout s'était passé en un éclair.

– Laissez-moi! rugit Randa. Je vous interdis de...

– De recommencer?

– Exactement.

Et il recommença, de plus belle, savourant sa force, sa victoire, et le goût nacré des lèvres de sa prisonnière. Randa bloqua ses poings fermés contre le torse de l'Indien et tenta, sans succès, de mettre un peu de distance entre eux. Jamais on ne l'avait embrassée si ardemment, et sans se soucier de son consentement. Surtout, elle était désespérée à l'idée que Scott pouvait les surprendre et menacer l'Indien avec le tranchant couteau d'ivoire. D'un autre côté, elle préférait que l'inconnu se passe les nerfs sur elle plutôt que sur son fils. Elle céda donc à demi, par sagesse et parce qu'elle en avait confusément envie.

Ce fut comme si l'Indien la connaissait depuis toujours. Quelques caresses suffirent à la faire chavirer. Lorsqu'il la sentit en son pouvoir, il s'écarta d'elle, satisfait.

— Je vous ai dit de me laisser, se défendit Randa. Scott pourrait nous voir...

— Vous ne vous en tirerez pas à si bon compte, rétorqua l'Indien avec une mâle assurance. C'est vous qui m'avez provoqué, tout à l'heure, à cheval. Je n'ai pas l'habitude de décevoir les jolies femmes...

Il la saisit à la gorge, puis coula une main irrévérencieuse sur la poitrine de Randa.

— Jamais une femme n'arrivera à me détourner de mon peuple, reprit-il, ni de ce que je me dois de faire pour lui, si jolie soit-elle.

Randa écarta la main masculine avec dégoût. L'Indien recula d'un pas, parce qu'il en avait décidé ainsi, non pour lui plaire. Randa le comprit.

— Qui êtes-vous? demanda-t-elle craintive, comme si elle plaidait coupable. Expliquez-moi ce que je fais ici, ce que vous allez faire de nous...

— Nous voulons obliger le gouvernement à rouvrir la mine de la vallée des Pumas.

La réponse était très éloignée de tout ce que Randa avait imaginé. Ébahie, elle ouvrit bêtement la bouche et passa nerveusement la langue sur ses lèvres meurtries. Son cerveau enregistra le goût du baiser, mais ne s'attarda pas à cette sensation, qu'elle jugeait secondaire.

— La quoi?

– La mine de la vallée des Pumas, le plus gros gisement d'argent et de nickel des Rocheuses. Vous n'en avez jamais entendu parler?

– Non.

– Ce n'est pas étonnant. Personne ne se soucie de cette fermeture, qui ne concerne pas les ouvriers blancs. Mais pour mon peuple, c'est une vraie catastrophe. Tous les hommes de la vallée y travaillaient, pour pas grand-chose, mais ils avaient au moins de quoi manger. Ce n'est plus le cas, aujourd'hui. Or la mine est loin d'être épuisée...

– Que voulez-vous dire «mon peuple», je ne comprends pas? Vous êtes américains, non?

– Avant tout, nous sommes indiens, les derniers descendants des Styrox. Les Blancs nous ont presque tous massacrés, au début du siècle. Je suppose que vous n'avez jamais entendu parler de ça non plus?

Randa baissa les yeux. Elle ignorait tout des Indiens Styrox, et des Indiens en général, comme bien des gens, d'ailleurs.

– Il fallait m'envoyer une lettre de menace, j'aurais pris des cours du soir, ironisa-t-elle. D'ailleurs, vous me racontez des histoires, les Indiens n'ont jamais eu les yeux bleus, que je sache...

– Comme vous le disiez, je suis à moitié américain.

– Écoutez, monsieur Hawk, je n'ai pas l'intention...

– Monsieur O'Toole, Hawk O'Toole.

Un long silence suivit. Randa comprit qu'elle avait intérêt à jouer franc-jeu. L'Indien aussi.

– Qu'attendez-vous de moi? demanda-t-elle enfin.

Je ne supporterai pas qu'il arrive quelque chose à Scott...

– Si je vous dis que tous les enfants de la vallée dépendant aussi de la mine, sans doute commencerez vous à mieux comprendre.

Randa baissa les yeux, une seconde fois.

– Vous n'avez pas répondu à ma question, rétorqua-t-elle.

– La mine appartenait aux Indiens. Aujourd'hui, elle dépend entièrement de quelques hommes d'affaires, des Blancs, qui n'ont que faire de ce qui se passera s'ils ferment définitivement la mine.

– Pourquoi veulent-ils fermer une mine d'argent? Je ne comprends pas.

– C'est ce que nous ignorons. Ils refusent, par principe, de discuter avec nous. Vous voyez, nous n'avions plus vraiment le choix.

Un bref instant, ils se toisèrent avec intérêt, comprenant qu'ils étaient embarqués sur la même galère, et qu'ils avaient en commun le souhait d'en sortir, le plus vite possible. Les circonstances avaient décidé du reste pour eux. Leur force, c'était qu'ils en avaient conscience. A part cela, tout les séparait.

– C'était Scott que vous vouliez enlever, n'est-ce pas, seulement Scott? lança Randa.

– Oui.

– A cause de son père, de Morton?

– Oui. Votre mari. Son influence auprès du

gouverneur est loin d'être négligeable, d'autant que les propriétaires de la mine sont ses amis.

Randa eut un sourire amer.

– Je n'ai jamais aimé les amis de Morton, admit-elle. Et puis, ne l'appelez pas mon mari. Nous avons divorcé il y a plus de six mois.

Les yeux bleus la déshabillèrent avec mépris.

– Le monde entier est au courant de votre vie privée. La presse à scandale en parle encore...

Randa blêmit mais se tut. L'Indien, alors, la plaqua à nouveau contre l'arbre.

– On dit que vous lui étiez infidèle, que vous passez vos nuits dans les boîtes de Chicago, ce qui ne m'étonne pas, vu le cinéma que vous m'avez fait tout à l'heure, sur la montagne.

Il voulut l'embrasser, mais Randa s'esquiva.

– Ce que vous pensez m'est égal, monsieur O'Toole. Maintenant, fichez-moi la paix, je me moque de vos histoires. Elles ne m'intéressent pas, ni ce qu'on peut en dire. Demandez votre rançon et filez sous les Tropiques avec votre bande de renégats, qu'on en finisse le plus vite possible.

– Vous dépassez les bornes, pour un otage sans défense, vous ne trouvez pas? la nargua-t-il.

– Et vous, vous êtes complètement irréaliste! Morton ne lèvera pas le petit doigt pour me sortir d'ici.

– Ça, je m'en doutais, voyez-vous. En revanche, je suis certain qu'il fera l'impossible pour son fils, un garçon adorable, ce petit Scott! Si son père lui ressemble, ce doit être quelqu'un! Dommage qu'il vous ait laissée tomber, hein?

30

— Vous êtes odieux. Tout cela se retournera contre vous.

— Je vous conseille de changer de ton. La plupart des hommes ne demanderaient pas mieux que de se débarrasser de vous. C'est votre fils qui compte, et qui pèsera dans la balance, tenez-vous-le pour dit. Nous pouvons aussi bien le garder ici et vous renvoyer à Chicago. Personne ne connaît ces montagnes, et elles sont immenses.

Randa eut un regard pitoyable. L'Indien avait touché le point sensible : pour sauver son fils, elle serait capable de tout.

— Ne lui faites pas de mal, gémit-elle. Ce n'est qu'un enfant. Il n'est pour rien dans tout ça. Vous n'avez pas le droit de vous en prendre à lui.

— Nous avons tous les droits, rétorqua l'Indien. L'homme blanc nous a traités comme du bétail. Même si je vous tuais, vous et ce gosse, je vous assure que je ne me sentirais pas coupable.

— C'est ce que vous dites. De toute façon, ça n'est pas comme ça que les choses s'arrangeront, vous le savez très bien.

— Faites ce que je vous dis, et tout se passera bien. Allons manger quelque chose, maintenant.

Ils marchèrent vers le centre du campement.

— Vous n'avez pas peur que le feu attire l'attention? s'inquiéta Randa.

— Si la police vient faire un tour par ici, cette nuit, ils ne trouveront qu'un groupe d'Indiens ivres morts, auxquels ils ne prêteront aucune attention. C'est malheureusement une situation on ne peut plus banale, par ici. L'alcool est la dernière arme de l'homme blanc, et la plus terrible.

– Vous oubliez que si quelqu'un vient, je crierai à réveiller les morts, monsieur O'Toole.

– Et vous, vous oubliez l'existence pure et simple du chloroforme 50. D'ailleurs, je commence à me demander si votre cervelle d'oiseau est capable d'intégrer quoi que ce soit, mademoiselle Price.

– Ne m'appelez pas comme ça!

– Comme vous voudrez, mais tout à l'heure, vous ne vouliez pas que je vous appelle madame...

Autour du feu de camp, les hommes s'étaient mis à boire sec du mezcal et du whisky. Scott, assis à côté d'Ernie, qui tirait sur une longue pipe de bruyère, dévorait un plat de bons haricots rouges au lard.

– Voulez-vous manger quelque chose, madame? demanda le vieil homme.

– Non, je vous remercie, je n'ai pas faim, répondit Randa, qui n'avait d'yeux que pour son fils.

– Tu sais, maman, commença Scott, Ernie dit que je pourrai remonter à cheval demain! Il dit que je pourrai essayer tout seul, si je fais attention; que son fils m'apprendra! Ils n'ont pas de télé chez eux, mais j'ai dit que ça ne faisait rien, que j'aimais autant les chevaux. Ils ont des chèvres aussi. J'ai pas peur des chèvres, hein maman? Ernie dit qu'elles ne sont pas méchantes. Seulement, quelquefois, elles se mettent à mâcher les vêtements, comme du chewing-gum...

Randa eut envie de le gronder, de lui rappeler les circonstances, le danger et la menace qui pesaient sur eux, mais elle ne dit rien et se contenta de sourire. Scott était un enfant. Son innocence le protégeait de la cruauté du monde, et c'était très bien ainsi.

— Tu as bien mangé, mon chéri?

— Oui, m'man.

— Bien, où dormirons-nous, cette nuit, monsieur O'Toole?

— Dans la cabine du camion bleu, expliqua l'Indien. Prenez cette couverture. Les nuits sont froides, par ici.

Randa prit son fils dans ses bras. Hawk lui jeta sur l'épaule une couverture multicolore.

— Regarde, maman, il y a tant et tant d'étoiles!

Randa leva les yeux vers l'étendue considérable du ciel. La Voie Lactée resplendissait. Des milliards d'étoiles et de soleils scintillaient dans la nuit, comme des énigmes, comme des poèmes.

— Je ne pourrai jamais les compter, murmura l'enfant. Je ne pourrai même pas faire ma prière. Je suis trop... fatigué... 'soir Hawk... 'soir maman... Et il s'endormit aussitôt, épuisé par les événements de la journée, et par toutes les sensations inconnues qu'il venait de goûter pour la première fois.

Randa aurait voulu pleurer. Elle eut soudain conscience de sa fragilité. Pourrait-elle protéger longtemps son fils contre la dure réalité de la vie? se demanda-t-elle.

Comme pour y chercher une réponse, elle parcourut des yeux l'immensité nocturne, le dessin magique et mystérieux des constellations infinies. Alors, Ernie se leva tranquillement. Une fois debout, il posa une main apaisante sur l'épaule de la prisonnière.

– Eh oui, madame, murmura-t-il d'une voix douce et sage, nous ne sommes pas grand-chose. La vie ne tient qu'à un fil, ici-bas.

3

VERS le milieu de la nuit, Hawk O'Toole se glissa dans la cabine du camion où dormait Randa et se coucha sur elle, sans un bruit. Puis il l'immobilisa sous lui, brutalement, sans le moindre égard. Sa main gauche bâillonna la bouche de la prisonnière. Sa main droite tenait un couteau dont il appuya la lame tranchante sur la gorge de la jeune femme.

— Je ne veux même pas vous entendre respirer, lui murmura-t-il à l'oreille. Sinon je vous tue!

Dans l'obscurité, il était terrifiant. Ses yeux brillaient d'un éclat meurtrier. D'un regard, Randa lui fit comprendre qu'elle ne tenterait même pas de se défendre. Il ne la relâcha pas pour autant. Au contraire, tout son corps se raidit, puissamment, comme s'il allait combattre pour défendre sa vie.

Deux minutes plus tard, les phares d'un véhicule balayèrent le campement, tous azimuts. Randa entendit une voiture s'arrêter non loin du camion. Deux portières claquèrent dans la nuit, avec un bruit sinistre.

– Haut les mains! Et que personne ne bouge, fit une voix masculine, militaire, un peu vulgaire.

C'était la police! Randa leva des yeux affolés vers l'Indien qui jurait dans sa barbe. Sans doute craignait-il, comme elle, que Scott fût réveillé par les voix. Si l'enfant se mettait à pleurer, ce serait un vrai massacre, elle le savait aussi bien que lui.

Heureusement, les hommes du campement jouèrent leur rôle à la perfection. Rien qu'à les entendre, on aurait juré qu'ils étaient ivres morts. Leurs vêtements, copieusement aspergés de mauvais whisky, firent le reste.

Ils répondaient aux questions qu'on leur posait avec une naïveté désarmante, mais la plupart du temps, ce qu'ils disaient n'avait aucun sens. Devant ces pauvres bougres, pitoyables et qui sentaient l'alcool à plein nez, les policiers se découragèrent rapidement.

– On ne tirera rien de ces gars-là, John! s'exclama l'un d'eux. Ils n'ont pas dessoûlé depuis quinze jours.

Randa sentit les muscles de l'Indien se raidir un peu plus. Son visage, qu'elle voyait par en dessous, exprimait une terrible colère.

– Vous n'auriez pas croisé un groupe de cavaliers, aujourd'hui, par hasard? demanda l'autre policier. Ils devaient ête six ou sept, pas plus.

Ce fut Ernie qui prit la parole. Sa voix déguisée donnait l'image d'un être aussi stupide qu'inoffensif:

– On a pas vu un coyote depuis des mois, par ici, chef! Mais dites-nous-en un peu plus. S'il y a une réccompense, on peut mettre un gars sur la montagne. D'ici une heure, il fera jour...

— On a kidnappé une femme et son fils, dans le train des touristes, vers Silverado, expliquèrent les policiers. C'est un groupe d'hommes à cheval qui a fait le coup. Ils étaient masqués, évidemment. Leur chef a dévalisé un des passagers, et puis ils ont emmené la femme et l'enfant.

Le policier éclata d'un rire gras.

— Remarquez, je les comprends, reprit-il. C'est une vraie pin-up, la fille! Tenez, regardez sa photo, les gars.

Et il tendit aux Indiens une photo de Randa en bikini, un des tirages qui avait fait la une de la presse à scandale, après le divorce de la jeune femme d'avec Morton Price. Des sifflements admiratifs jaillirent, au fur et à mesure que la photo passait de mains en mains. Un instant, Hawk considéra sa prisonnière d'un œil torve, presque amusé, mais son regard redevint sombre lorsque Scott se mit à remuer de façon suspecte. Manifestement, les bruits de la conversation commençaient à le déranger. Il menaçait de se réveiller d'une minute à l'autre. Randa ne le quittait pas des yeux.

— Bon, ouvrez l'œil, les gars, et si vous voyez quelque chose de suspect, descendez au bureau, on vous donnera une bonne caisse de whisky, d'accord?

Une fois de plus, Hawk serra les poings. Randa sentit vibrer la lame du couteau contre sa gorge.

— Compter sur nous, chef, baragouina Ernie.

– Un dernière chose : la fille a les yeux verts, le gosse s'appelle Scott. Allez, à la prochaine, bande de soûlards!

Les phares tournoyèrent un moment dans l'ombre, avant de reprendre la direction du nord. Lorsque tout fut redevenu calme, Hawk immobilisait toujours Randa sous lui. Par miracle, Scott ne s'était pas réveillé.

– Hawk, ils sont partis, fit la voix d'Ernie dans leur dos.

L'Indien libéra les lèvres de Randa mais demeura couché sur elle. Il fixa sa bouche meurtrie où restaient quelques traces de rouge à lèvres.

– Hawk?

– Oui, je t'ai entendu, dit-il, exaspéré par l'insistance d'Ernie.

Un long silence suivit. Hawk ne se relevait toujours pas mais il rengaina son couteau. Lorsqu'elle aperçut la longue lame luisante entre ses doigts, Randa frémit d'horreur. D'instinct, elle porta une main défensive à sa gorge.

– Vous auriez pu me tuer avec ça, murmura-t-elle.

– C'était bien mon intention, si vous aviez tenté quoi que ce soit, répondit-il.

– Et Scott? Il aurait pu se réveiller et se mettre à pleurer. Vous n'auriez quand même pas...?

– Non. Je suis d'accord avec ce que vous disiez, hier soir, il n'est pour rien dans tout ça. On ne lui fera pas de mal.

– Mais qu'est-ce que vous croyez? s'indigna Randa. Que ça lui fait du bien, tout ça? Si vous ne vouliez vraiment pas lui faire de mal, vous le relâcheriez tout de suite, vous le renverriez à Chicago séance tenante, espèce de brute!

— Ne prenez pas vos grands airs, rétorqua l'Indien. Vous avez entendu les flics. Ils ont dit que vous n'étiez qu'une pin-up, parce qu'ils n'ont pas osé dire autre chose, de peur que ça leur retombe dessus! Mais je suis bien d'accord avec eux, vous n'êtes qu'une...

— Hawk! intervint Ernie.

— Ça vous va très mal, de faire des leçons de morale, monsieur O'Toole, fulmina Randa. Après tout, vous n'êtes qu'un renégat de troisième zone, un voleur, un pauvre type...

— Pas un voleur.

— Vous avez bien dévalisé cet Anglais, dans le train, non?

— Je n'ai fait qu'accepter ce qu'il mourait d'envie de donner, histoire de faire son petit numéro devant tout le monde, et surtout devant sa petite amie.

— N'empêche que vous dépenserez cet argent comme s'il était à vous.

— Et comment! grinça l'Indien. Même s'il m'avait donné dix millions de dollars, ce ne serait qu'une maigre compensation en comparaison de tout ce que nous ont pris les Blancs. Puisqu'ils nous ont tout pris, tout...

— Hawk! soupira Ernie, avec un air de vieux sage désolé.

— Non mais, pour qui vous prenez-vous? reprit Randa, folle de rage. Pour Robin des Bois, peut-être? Et bien, vous vous trompez, vous n'êtes qu'un criminel. Vous finirez vos jours en prison, et les gens applaudiront quand vous passerez sur la chaise électrique, moi y compris.

Comme il refusait toujours de bouger, Randa voulut se soustraire à son étreinte. Elle le saisit aux épaules, et réalisa alors, avec une sorte de désespoir, qu'il était torse nu. Ses muscles, tendus sous une peau glabre et bronzée, se durcirent un peu plus sous les doigts de Randa. Il se pencha vers elle, lui passa la main dans les cheveux et captura le bout de son oreille entre ses dents blanches.

— Arrêtez! gémit-elle.

— Ne soyez pas nerveuse, murmura-t-il cyniquement. Les Indiens sont les meilleurs au monde, toutes les filles dans votre genre qui ont essayé sont d'accord là-dessus, vous ne le saviez pas?

— Arrêtez, je vous dis! Si Scott n'était pas là, je...

— Si c'est ça qui vous gêne, on peut aller dans ma cabane.

— Non! Allez-vous-en! Vous me dégoûtez.

— A moins que ce ne soit ça qui vous plaise, hein? De résister pour que je vous domine, histoire d'avoir quelque chose à raconter à vos amis, quand vous rentrerez à Chicago? Je suis sûr que vous ferez sensation, quand vous raconterez qu'un Indien aux yeux bleus vous a violée dans la cabine d'un quinze tonnes.

— Laissez-moi. J'en ai assez!

Et il l'embrassa, n'écoutant que son propre

désir qui déferlait en lui comme un poison irrésistible. La tension accumulée depuis l'arrivée de la police se déchaîna soudain. Il roula sur Randa qui se débattit de toutes ses forces pour ne pas succomber car, envers et contre tous, Hawk O'Toole était beau. Il était même irrésistible.

Ernie intervint heureusement au bon moment.

— Hawk? dit-il, d'une voix dure.

— Quoi?

— Tu m'avais demandé de te réveiller à l'aube. Il ne tardera pas à faire jour. Viens, mon garçon, nous avons à faire.

Hawk pénétra sa prisonnière d'un regard qui ne laissait présager rien de bon pour l'avenir. Puis il se leva, reboutonna son jean et sortit sans ajouter un mot.

Randa sentit un flot de larmes lui brûler les yeux. Aucun homme n'avait jamais osé lui faire un tel affront. Mais son orgueil blessé était peu de chose. Elle avait surtout peur pour son fils, qui dormait toujours paisiblement, comme si de rien n'était. Avec le coin de sa couverture, elle voulut effacer de ses lèvres le goût des baisers de Hawk O'Toole. En vain car ils s'étaient déjà transformés en souvenirs.

Après plusieurs heures de route, sur des pistes mal entretenues, à bord de camions qui roulaient au pas, ils débarquèrent dans la vallée minière, blanche et déserte sous l'azur éblouissant du ciel. Le village des mineurs n'était guère plus réjouissant, avec ses maisons préfabriquées et ses caravanes aux couleurs délavées. Quelques bâtiments en bois, de belle allure, relevaient l'ensemble. Il y avait une épicerie qui servait aussi de station-service, de marchand des quatre-saisons et de bureau de poste; une école aux volets clos, fermée depuis des années, et une sorte de mairie, où se regroupaient tous les services publics de la petite communauté. A flanc de montagne, des rampes d'acier brillaient sous le soleil et attiraient le regard.

– C'est la mine? demanda Randa.

– Oui, répondit Hawk avec un sourire cynique, sans quitter la route des yeux. Je ne vous demande pas comment vous trouvez la région...

Il y eut un silence.

– Nous allons passez chez Léta, reprit l'Indien. Vous pourrez vous laver et manger quelque chose.

– Léta?

– Oui, la femme d'Ernie, une fille adorable. Et n'espérez pas passer un coup de fil en douce, ils n'ont pas le téléphone. Les lignes sont coupées depuis des mois.

Le téléphone! Randa y avait songé pendant tout le trajet. Il n'y avait malheureusement pas la moindre cabine en vue dans les rues du village. On avait vraiment l'impression d'avoir été transporté dans un pays du Tiers Monde, alors qu'on était en plein cœur des Rocheuses, à quelques centaines de kilomètres d'une des villes les plus modernes du monde.

Scott avait voyagé dans le camion d'Ernie, qui

était arrivé au village une demi-heure plus tôt. Scott avait déjà un nouvel ami, et il jouait dans la rue, devant la maison bleue d'Ernie, où gambadaient quelques chèvres apprivoisées. Une bonne odeur de cuisine s'échappait par les fenêtres ouvertes.

— Maman! Viens voir, c'est Géronimo! s'exclama Scott en montrant du doigt une chèvre blanche à l'air aristocratique. Et lui, c'est Donny, mon copain! Il vient d'avoir sept ans. Et elle, la dame qui m'a donné à manger, c'est Léta. Elle m'a dit qu'elle allait bien s'occuper de nous.

Randa fut stupéfaite de constater que la femme d'Ernie était plus jeune qu'elle. Léta l'examina avec attention. Ses grands yeux doux et ses cheveux tressés lui donnaient un air résolu, et pourtant heureux.

— Voulez-vous manger quelque chose, madame? demanda-t-elle avec beaucoup de gentillesse. Je n'ai pas fait grand-chose, mais...

— Je suis sûr que madame meurt de faim, coupa l'Indien. Madame n'a pas daigné partager le dîner des sauvages, hier soir, ni leur petit déjeuner, ce matin!

Randa l'ignora et se tourna vers Léta.

— Je suis certaine que ce sera parfait, dit-elle. Puis-je utiliser votre salle de bains? J'aimerais me laver un peu, avant de manger.

— Bien sûr, sourit la jeune femme. C'est au fond du couloir.

— Je vous accompagne, s'interposa l'Indien. Suivez-moi.

43

Randa ne broncha pas. Elle mourait trop d'envie de faire un brin de toilette. Hawk inspecta brièvement les lieux puis il l'autorisa à entrer.

– Vous n'allez quand même pas rester là? s'inquiéta la jeune femme.

– Non, je voulais seulement m'assurer que vous ne pourriez pas vous enfuir par les fenêtres. Il n'y a rien à craindre de ce côté-là.

– De toute façon, vos hommes encerclent la maison, assena la jeune femme.

– Deux précautions valent mieux qu'une, avec vous.

– Pourquoi ne pas me fouiller, pendant que vous y êtes?

– Excellente idée! J'avais oublié ça, sourit-il en la prenant au mot.

Et il la plaqua contre le mur laqué vert d'eau, qui s'écaillait ici et là. Une lumière poudrée filtrait à travers les stores baissés. La chaleur de midi avait tout envahi. Un robinet fuyait. On entendait jouer les enfants dans la rue.

Les yeux bleus la jaugèrent de haut en bas. Les mains de l'Indien disparurent sous le corsage de Randa, effleurèrent ses seins sans se gêner, glissèrent le long de son dos jusqu'à ses hanches, puis le long de ses jambes, qu'elles parcoururent l'une après l'autre.

– Allez-y, déclara-t-il ensuite, avec malice, je ne vois rien de suspect.

Il quitta la salle de bains avec un regard de séducteur que rien ne pourrait arrêter. Une fois seule, Randa ferma à double tour. Elle avait été trop choquée par l'inspection de l'Indien pour réagir sur le moment. Sa pâleur en témoignait encore. Elle se regarda dans la glace et soupira de tristesse et de dégoût. Ses cheveux en désordre faisaient pitié à voir. Son maquillage, vieux de vingt-quatre heures, était fané. Ses vêtements n'avaient pas bonne mine. Randa, surtout, se sentait sale et salie par tout ce qui s'était passé depuis la veille. L'odeur du savon lui remonta un peu le moral et la douche, qu'elle prit en quatrième vitesse de peur de voir réapparaître l'Indien, la remit sur pieds. Pour finir, elle se brossa les dents avec un doigt et se repeigna avec soin.

Lorsqu'elle revint dans la cuisine, les hommes lisaient les journaux du matin. L'enlèvement faisait la une. Les faits étaient racontés, en détail, par les témoins directs, les passagers du train. Randa apprit que le FBI avait délégué sur place deux de ses meilleurs agents. Cette nouvelle la rassura et l'inquiéta à la fois. Les recherches avaient donc commencé. Mal! songea-t-elle, en se remémorant la visite des policiers au campement, pendant la nuit. La première page du *Chicago Post* montrait une photo de Morton Price sur quatre colonnes. Toujours aussi play-boy, la mèche en bataille et le sourcil de travers, il avait l'air de souffrir le martyre, ce qui lui allait à merveille. Il déclarait qu'il ferait l'impossible pour récupérer son fils, et bien entendu, son ex-épouse.

— Quel comédien! s'indigna Randa, non sans amertume. Il ne changera jamais...

— Ce qui veut dire? coupa l'Indien.

– Morton adore la publicité. Contrairement à ce que vous pensez, et à ce qu'il dit, il doit être aux anges, avec cette histoire. Il va faire la une pendant au moins une semaine, sans compter la télévision! Et comme d'habitude, je passe en second. C'est d'une logique implacable, non?

Ernie parut préoccupé par cette révélation.

– Vous voudriez peut-être que je sympathise? ironisa l'Indien.

– Je crains malheureusement que vous soyez incapable de vous comporter autrement que comme le dernier des goujas, assena-t-elle après s'être assise à table.

Léta lui servit une tasse de café chaud et réconfortant, suivi d'un plat de haricots rouges aux herbes, qui lui parut délicieux.

– Parlons sérieusement, dit-elle ensuite, en s'adressant à Ernie, non plus à Hawk. Qu'allez-vous faire de nous?

Ernie demeura de marbre, avec ce visage indéchiffrable qui pouvait supporter toutes les émotions sans bouger d'une ride.

– Nous vous garderons en otage, répondit l'Indien, jusqu'à ce que votre mari – je voulais dire votre ex-mari – obtienne du gouverneur la réouverture de la mine.

– Vous êtes complètement fous! s'exclama la jeune femme. Ça peut demander des mois de négociations!

– Peut-être.

– Vous ne vous rendez pas compte! s'indigna-t-elle. La rentrée des classes est dans quinze jours.

46

— Alors, elle aura lieu sans Scott, décréta l'Indien.

— Pourquoi ne demandez-vous pas une rançon, une énorme rançon, tout simplement? suggéra Randa, qui crut avoir trouvé l'idée du siècle.

Ernie ne cilla pas, mais Léta, gênée, détourna les yeux et se râcla la gorge. Les traits de Hawk O'Toole se durcirent affreusement. Randa comprit qu'elle avait commis une grave erreur. Ses yeux bleus contredisaient ses origines indiennes, non pas son orgueil, qu'elle venait d'heurter violemment.

— Les Indiens n'ont jamais volé le bien d'autrui, ni vécu à leurs dépens, mademoiselle Price. Essayez de vous souvenir de ça, si vous en êtes capable.

— Écoutez, O'Toole, je n'ai pas voulu dire le contraire, mais franchement, vous savez aussi bien que moi que négocier avec le gouvernement des États-Unis, cela demande des mois, voire des années de patience...

— Nous attendrons le temps qu'il faudra. Maintenant, finissez votre café, nous partons dans dix minutes.

Et il quitta la maison. Randa posa alors sur Ernie et son épouse un regard qui demandait grâce.

— Il faut que vous m'aidiez, dit-elle d'une voix tremblante. O'Toole se trompe. Ses motivations sont nobles, je ne vois rien à y redire, au contraire, mais vous avez tort de lui faire confiance. Il rêve. Son plan ne marchera jamais.

Le gouvernement ne traite pas avec les terroristes, vous le savez aussi bien que moi. Hawk O'Toole vient de commettre un crime, un crime de droit commun.

Elle s'humecta les lèvres, joua sa dernière carte. Son cœur battait à tout rompre :

– Si vous ne le comprenez pas tout de suite, vous finirez en prison comme lui; vous, Ernie, votre épouse et tous les autres. Ce n'est pas comme ça qu'on prépare l'avenir d'un peuple. Essayez de voir les choses en face, je vous en prie. Je sais qu'au fond, vous ne l'approuvez pas. Tout le dit dans votre attitude. Aidez-moi à trouver un téléphone, et je dirai que vous avez agi contraints et forcés. J'expliquerai comment vous m'avez aidée. Vous pouvez même tirer profit de la situation et, qui sait, obtenir la réouverture de la mine. Sinon, ça ne marchera jamais.

Ernie quitta la table et s'adressa à sa jeune épouse avec douceur :

– Tout est prêt?

– Oui, répondit-elle, avec un sourire de connivence.

– Sors les bagages, veux-tu? Je vais les charger à bord du camion. Il est temps.

Les épaules de Randa s'affaissèrent d'un seul coup. Ernie et sa femme ne s'étaient pas contentés de lui refuser leur aide. Ils n'avaient même pas daigné lui répondre.

4

– VOUS êtes trop jeune, trop impulsif, pas assez sage, en un mot. Je ne comprends vraiment pas que vous soyez devenu le chef de cette tribu! s'exclama Randa, lorsqu'ils eurent repris la route.

– Je ne suis pas le seul, si ça peut vous réconforter. Les Styrox ont toujours eu sept chefs; sept ministres, si vous préférez : c'est un chiffre symbolique. Et il n'y a pas de grand chef. C'est une légende inventée par les Blancs. Nos dieux, qui sont des esprits, non des êtres, sont nos seuls dirigeants.

– Vous avez hérité cette position de votre père, alors?

L'Indien serra les dents. Randa comprit qu'elle avait touché un point sensible. Elle se dit qu'Hawk O'Toole avait encore beaucoup à apprendre avant d'acquérir la maîtrise d'Ernie. Il se laissait trop dominer par ses émotions. Oui, vraiment, il était trop jeune, trop fougueux, trop beau, peut-être...

– Mon père est mort alcoolique, dans la salle

49

commune d'un hôpital de la Croix-Rouge, à Chicago. Il n'était pas beaucoup plus vieux que moi aujourd'hui.

Il y eut un silence. La route défilait, cahotique, montagneuse, déserte.

– Et il s'appelait vraiment O'Toole, votre père?

– Oui. Son arrière-arrière-grand-père s'appelait Avery O'Toole. C'était un gars de la région, un montagnard. A dix-huit ans, il avait épousé une Indienne.

– Alors vous devez votre position à la famille de votre mère, c'est bien ça?

– Ma grand-mère maternelle fut un des meilleurs chefs des Styrox.

– Votre mère doit être fière de vous, non?

– Ma mère est morte en mettant mon frère au monde. L'enfant n'a pas survécu non plus. A l'époque, on nous avait parqués dans des réserves, au nord du fleuve. Un médecin passait une fois par semaine. Ma mère n'a pas accouché le bon jour. Une hémorragie l'a emportée. Les autres n'ont rien pu faire.

Randa baissa les yeux.

– On dit que ceux qui ont beaucoup souffert sont plus réalistes, plus sages et plus tranquilles que les autres, mais vous devez faire exception à la règle, O'Toole, reprit-elle. Il faut être complètement stupide et insensé pour avoir imaginé le scénario de cet enlèvement. Vous n'obtiendrez jamais gain de cause de cette façon, c'est aussi clair qu'un et un font deux. Je ne vous blâme pas de vouloir aider votre peuple. C'est au contraire très louable, en soi, mais vous vous y prenez vraiment très mal, je crois. Vous n'obtiendrez pas la réouverture de la mine par la force. C'est impossible.

– Les lois sont contre nous, mademoiselle Price. C'est ce que vous n'avez pas encore compris. Les hommes comme nous n'obtiennent gain de cause qu'en forçant les lois, qu'en les contraignant à plier sous la force de leur volonté.

– Et vous, ce que vous ne réalisez pas encore, c'est que vous finirez tous en prison, si vous continuez. Il y a des années que les gouvernements ne cèdent plus au chantage. Voilà la vérité!

– Nous ne finirons pas en prison, je vous le garantis.

Écoutez, O'Toole, au fond, je suis de votre côté. Alors regardez les choses en face, je vous en prie. La seule attitude possible, c'est de nous laisser, Scott et moi, au prochain village. Je raconterai que vous êtes restés masqués du début jusqu'à la fin, que j'avais moi-même les yeux bandés, qu'il m'est impossible de donner le moindre renseignement valable. Ils me croiront.

– Personne ne vous croira. Sans compter que Scott finira par parler d'un certain Hawk, un jour où l'autre. Et ce jour-là, la police surgira dans la vallée. Maintenant, taisez-vous, j'en ai assez entendu pour aujourd'hui. D'ailleurs, Scott s'est endormi. Il se trouve à son aise ici, lui, et vous feriez bien de suivre son exemple.

– Pourquoi ne me croiraient-ils pas, s'il vous plaît?

– Vous oubliez les petits détails croustillants qu'on a publiés sur votre compte, au moment du divorce, ricana l'Indien. Dans ce pays, on ne croit que les riches qui ont réussi à se faire passer pour des enfants de chœur, vous ne le saviez pas? Les filles, les Noirs et les Indiens ne disent jamais la vérité, c'est bien connu.

– Croyez-vous tout ce qu'on imprime dans les journaux, O'Toole? riposta Randa.

– Je ne crois presque rien de ce qu'on imprime dans les journaux.

– Alors pourquoi faire une exception pour mon divorce?

– Parce que je vous ai tenue entre mes bras, deux fois de suite en moins de vingt-quatre heures, et que j'ai très bien senti que vous n'êtes pas un modèle de vertu. Au contraire. Si Ernie n'avait pas été là, cette nuit, vous vous seriez laissée faire, vous le savez aussi bien que moi.

– C'est faux. Je...

– C'est la vérité. Que vous refusiez de l'admettre, cela vous regarde, mais évitez dorénavant de me faire des leçons de morale. Ça m'évitera de vous rappeler la dure réalité.

Ils roulèrent pendant des heures, toujours au pas et sur des pistes mal entretenues, dans le désert grandiose des Rocheuses. Une heure après le crépuscule, le convoi stoppa dans un cirque montagneux, aride, qui évoquait un paysage lunaire, avec son ciel toujours noir et rempli d'étoiles scintillantes.

– Descendez, commanda l'Indien. Nous y sommes.

Randa frissonna au-dehors. La température avait considérablement baissé à cause de l'altitude et de la nuit. On entendait une cascade se fracasser sur le granit de la montagne. Quelques cabanes de chantier, bleues ou jaunes, étaient plantées çà et là, étranges dans cet environnement inhumain.

— La cabane de Mme Price est à gauche, expliqua Ernie, avant de se retirer. Hawk, tu viendras me voir ensuite. Il faut que je te parle. Bonne nuit, madame. Bonsoir, mon garçon!

Deux couchettes et une petite table carrée meublaient la cabine exiguë privée d'eau et d'électricité. Hawk alluma une lampe à pétrole, qu'il posa sur la table. Il s'amusait de l'air dépité de la prisonnière.

— Ne faites pas cette tête, sourit-il. C'est la suite de luxe. Les autres dorment par terre, et vous avez un petit chauffage.

— Allumez-le.

— Faites-le vous-même. Je ne suis pas votre domestique.

— Excusez-moi. J'ai froid, c'est tout.

— Dois-je envoyer un jeune homme pour vous chauffer le lit? assena-t-il avec un regard en biais.

— Laissez-moi. Je suis fatiguée. Je voudrais dormir. Ne réveillons pas Scott.

L'Indien parut faire un effort surhumain pour ne pas la prendre dans ses bras.

— Je hais tout ce que vous représentez, déclarat-il d'une voix pensive. Votre blondeur, votre façon de vous coiffer, de vous habiller, de vous maquiller; cette façon de vivre uniquement basée sur l'argent et ce qu'il représente... Vous avez fait de votre fils un jouet. Non pas un homme mais un jouet qui convient à votre petit confort personnel. Et pourtant, chaque fois que je vous regarde, j'ai envie de vous prendre dans mes bras. Ne me regardez pas comme ça, comme si vous tombiez du ciel. Je suis sûr que c'est pareil pour vous...

Et il la laissa seule, tremblante dans l'obscurité hostile, loin de tout ce qui lui était familier, sans chercher même à la réconforter par un sourire.

Randa se blottit sous une couverture. Il n'y avait pas de rideaux aux fenêtres de la cabine. Un sinistre clair de lune dessinait des visages menaçants sur les parois de la montagne. Pour ne pas sombrer dans le désespoir, Randa repoussa l'idée que ce cauchemar pouvait encore durer des mois.

Debout devant la fenêtre de sa cabine, Hawk O'Toole regardait le soleil se lever sur la crête des montagnes. Il n'avait pas bien dormi. Malgré trois bols de café noir, il restait perdu dans ses pensées. Ernie, qui était levé depuis longtemps, le surprit en plein rêve. Hawk dégaina son revolver et en menaça l'intrus, puis il posa l'arme sur la table, l'air navré et mécontent de soi.

— Tu t'es levé du pied gauche, ce matin? le taquina le vieil homme. Et comment se fait-il que tu ne m'aies pas entendu approcher?

Hawk se contenta d'offrir une tasse de café à son ami.

— Tu trouves que tout se passe trop bien, c'est

ça? reprit Ernie. Moi-même, je me demandais tout à l'heure d'où viendraient les problèmes.

Et comme un enfant, il se mit à souffler sur son café brûlant.

— Des problèmes? Il n'y aura pas de problèmes, Ernie. La lettre arrivera ce matin. Morton Price se manifestera une heure plus tard et nous n'aurons qu'à laisser faire, jusqu'à ce que le gouverneur soit revenu sur sa décision de fermer la mine.

— Le ciel t'entende, mon garçon! Mais je regrette d'avoir été contraint d'en arriver là. Beaucoup considéreront l'enlèvement comme un crime, ce qui est malheureusement vrai, d'un certain point de vue.

Hawk se souvint des paroles de Randa, la veille, sur la route. Silencieusement, il enfila sa chemise abandonnée au pied du lit.

— Nous ne sommes pas des criminels, dit-il ensuite.

— Du moins, évitons absolument de le devenir. Rien ne doit arriver à la femme, ni à l'enfant. Rien, tu m'entends, Hawk?

L'Indien rentra les pans de la chemise dans son jean délavé. Il avait parfaitement compris l'injonction d'Ernie.

— Que veux-tu qu'il leur arrive? dit-il seulement.

Ernie regarda son ami enfiler ses chaussettes et ses bottes de cuir fauve.

— Aube Janvier ne te quitte pas des yeux, en ce moment, le sais-tu? reprit le vieillard.

— Aube Janvier? Je t'en prie, c'est une enfant!

– Elle a dix-huit ans.

– C'est bien ce que je dis, une enfant!

– Léta avait seize ans lorsque je l'ai épousée. Je ne vois pas où est le problème.

– Ce n'est pas une raison, Ernie. On n'a pas tous ta santé, vieille canaille!

Ernie demeurait tout aussi taciturne. Il n'avait pas envie de sourire. Hawk se leva et roula ses manches sur ses avant-bras puissants.

– Aaron Turnbow est amoureux de la petite Aube, dit-il. D'ailleurs, elle est triste depuis qu'il est retourné à l'université. Il viendra passer les vacances de Noël ici. Je suppose qu'il en profitera pour la demander en mariage.

– Tu as donc encore quatre mois pour profiter d'elle, mon garçon.

Les yeux de Hawk O'Toole jetèrent des éclairs.

– Je ne peux pas faire ça à Aaron. Tu plaisantes, Ernie?

– Pas du tout, Hawk. Si tu crois que je n'ai pas vu comment tu la regardes...

– Qui ça?

Les deux hommes se jaugèrent du regard. Hawk avait compris qu'ernie parlait de la prisonnière, de Randa.

– Tu as besoin d'une femme, Hawk, et vite. Ce n'est pas le moment de te perdre en rêveries inutiles.

– Quand j'en aurai vraiment envie, je n'aurai pas besoin de ta bénédiction pour passer aux actes, Ernie.

– Je ne veux pas que tu la touches. Je te l'interdis. Elle est notre otage. Cette situation est déjà bien assez humiliante en elle-même. Et puis, tu sais bien, les Anglos ne peuvent pas nous comprendre, elle pas plus qu'une autre. Tu perds ton temps, avec cette fille.

— Tu crois que je ne suis pas assez grand pour m'en rendre compte?

— Je voulais seulement te rappeler qui tu es, Hawk, ce que tu représentes pour ton peuple, et ce que cette position t'interdit de faire. Je me permets de te parler comme ça, mon garçon, parce que je t'ai surpris, ce matin encore, à rêvasser. Tu manques de prudence. Et ce n'est pas le moment... Bien, je vais te laisser. J'ai promis à Donny de l'emmener à la rivière. On mangera peut-être des truites, ce soir!

Hawk le regarda s'en aller, les sourcils froncés, l'air grave. Une heure plus tard, il entra dans la cabane de Randa.

La jeune femme dormait encore. Ses cheveux défaits formaient une auréole blonde sur l'oreiller blanc. Son visage, adouci par le sommeil, rayonnait. Cette image ensorcela O'Toole. Briser l'enchantement fut sa seule arme contre le désir. Il la réveilla.

— Vous devriez déjà être debout! s'exclama-t-il sur un ton de reproche, dès que Randa eut ouvert l'œil.

La jeune femme rabattit la couverture sous son nez. Le ton de l'Indien, à lui seul, venait d'enclencher la machine infernale de la mauvaise humeur.

– Sortez, bougonna-t-elle.

Puis aussitôt, les yeux levés vers la grande silhouette masculine en contre-jour :

– Où est Scott?

– A la pêche, avec Ernie et son fils.

Randa rabattit violemment la couverture, puis
elle se leva d'un bond.

– Scott n'a jamais pêché de sa vie! Il ne sait
même pas très bien nager, et ça doit être un
torrent, en plus. Emmenez-moi tout de suite là-
bas.

– Ernie s'occupe de lui. Vous n'avez rien à
craindre.

– C'est vous qui le dites. Je préfère m'occuper
de mon fils moi-même.

– On dirait surtout que vous avez décidé d'en
faire une vraie poule mouillée.

– Je me moque de votre opinion, monsieur
O'Toole. Scott est un garçon sensible, et il a
besoin de moi, du moins pour un certain temps
encore, que ça vous plaise ou non.

– Il a surtout besoin de comprendre qu'il est un
garçon avec tout ce que ça comporte. Être avec
les hommes, cela lui fera le plus grand bien. Vous
le couvez beaucoup trop.

– Qu'aimeriez-vous faire de lui? Un sauvage,
comme vous? Un hors-la-loi? Un renégat abruti
de bons sentiments et d'idéalisme? Non, monsieur
O'Toole. Scott aura vingt ans en l'an deux mille.
Le monde change. On ne donne plus de fusils aux
petits garçons, ni de poupées aux petites filles,
pour qu'ils s'amusent. Tout ça est dépassé. Du

58

moins, pour moi, ça l'est. Vous vous accrochez au passé comme à une bouée de sauvetage, sans même vous demander si vous ne pourriez pas obtenir dix fois plus que ce que vous avez, à condition de cesser de vous comporter en martyr... Et je vous interdis de me regarder comme ça!

— Vous n'êtes qu'une Américaine. Vous ne savez pas de quoi vous parlez.

— Je ne me sens pas beaucoup plus «américaine» qu'autre chose, contrairement à ce que vous pensez. Simplement, le hasard a voulu que je naisse dans la banlieue de Chicago. Eh bien, je fais avec.

— Tout ce que je vois, mademoiselle Price, c'est que votre fils est terrorisé par les chèvres, qu'il a peur de l'eau, des chevaux et d'à peu près tout ce qui bouge. Bon, assez discuté. Voulez-vous déjeuner?

— Non, merci.

— Voulez-vous prendre un bain?

— Oui, s'il vous plaît. J'aurais besoin de vêtements propres... et un peu plus chauds. Scott aussi.

— Nous avons fait le nécessaire pour votre fils. Je verrai si je peux vous trouver quelque chose. Maintenant, suivez-moi, la salle de bains est par là.

Dehors, Randa découvrit un merveilleux paysage montagneux, sous un ciel pur et limpide où brillait un soleil éclatant. Des forêts d'épicéas couvraient les pentes abruptes. Les sommets, éternellement enneigés, imposaient silence. Leur majesté immaculée remettait les choses à leur juste place.

– C'est magnifique, dit-elle seulement.

O'Toole se sentit flatté car ils étaient au cœur de l'ancien territoire des Indiens Styrox. Mais il ne dit rien : il ne voulait donner aucun renseignement géographique à la prisonnière.

– Venez, intima-t-il.

Randa le suivit sans broncher jusqu'à une sorte de piscine naturelle et bouillonnante, formée par la halte d'un torrent entre deux chutes impressionnantes.

– Nous y sommes, déclara-t-il. Les anciens l'appelaient le lac d'or, disons que c'est une sorte de bain de jouvence.

A la vue de l'eau cristalline et bleutée, Randa frémit de la tête aux pieds.

– Non mais, dites, vous me prenez pour un pingouin, ou quoi? Si vous vous imaginez que je vais me tremper là-dedans!

– Comme vous voudrez, sourit l'Indien, amusé. Scott a adoré, ce matin, alors je ne vois pas pourquoi vous...

– Quoi! Vous voulez dire que vous avez baigné Scott dans ce... dans ce...?

– Oui, et nu comme un ver, encore. Il a fallu qu'on le retire de force, figurez-vous, parce qu'il adorait ça. D'ailleurs, vous devriez essayer, mes ancêtres attribuaient leur longévité à cette source.

– Vos ancêtres étaient encore trois fois plus stupides que vous, O'Toole! En tout cas, Scott n'est pas du tout habitué à ce genre de traitement. Il pourrait tomber malade...

— Vous ne voulez vraiment pas essayer, alors?

— Non, je me laverai dans une bassine, avec de l'eau chaude, si ce n'est pas trop vous demander.

— Comme vous voudrez. Rentrez dans votre cabane, Léta va s'occuper de vous.

On ne pouvait pas résister au sourire de Léta. Sa douceur contagieuse venait rapidement à bout de la pire des mauvaises humeurs. Elle n'était pas jolie, mais ses très beaux yeux sombres, profonds et lumineux, la paraient d'une grâce mystérieuse. Avec ses yeux et ce sourire, elle aurait pu être la grande prêtresse d'un temple interdit au commun des mortels. Elle évoquait la nuit, la lune, les fées, les forêts enchantés et le monde merveilleux des songes. Timide et comme effrayée par le grand soleil, elle allait et venait entre les cabanes, telle une apparition.

Pour Randa, elle avait déniché un bon savon épicé et une brosse à cheveux en soies de sanglier. Le savon avait un parfum un peu fort et masculin, et la brosse n'était pas de première qualité, mais vu les circonstances, c'était déjà beaucoup.

— Vous êtes vraiment adorable, Léta. Je suis très touchée que vous vous donniez tout ce mal pour moi.

La jeune femme s'était contentée d'un sourire. Elle avait rougi du compliment, avant de disparaître, sans un mot. Elle avait aussi apporté des vêtements propres; propres mais affreux, pour une élégante. La jupe de flanelle gris et marron faisait penser à un sac de pommes de terre neuf dont elle avait l'absence de forme et la couleur peu engageante. Le chemisier en lainage assorti était à l'avenant. On ne pouvait rien imaginer de moins seyant pour une blonde. Randa décida que O'Toole avait choisi à dessein des vêtements aussi vilains. Ce sauvage prenait un malin plaisir à la rabaisser! Léta avait ajouté une gaine, qui faisait l'affaire, et un soutien-gorge, malheureusement trois fois trop grand. Randa avait donc lavé le sien qui n'était pas encore sec. Il lui fallut s'en passer.

Après sa toilette, comme l'Indien ne revenait pas, elle se mit à la recherche de Scott. Les hommes lui indiquèrent le chemin de la rivière, qui descendait vers la vallée, à cent mètres des cabanes. Contrairement à Hawk, ils la traitèrent tous avec beaucoup d'égards.

Lorsqu'elle arriva près du torrent, Randa eut l'un des chocs de sa vie. Torse nu et pieds nus dans l'eau glacé, Scott brandissait un couteau et s'apprêtait à décapiter un poisson vivant.

— Scott! hurla-t-elle, épouvantée.

Le petit garçon fit volte-face vers sa mère. Ses couleurs faisaient plaisir à voir. La nouveauté de la vie au grand air lui était favorable.

— Maman! Viens voir! J'ai déjà attrapé trois poissons! Et des gros! Tout seul! Je les ai attrapés tout seul, tu te rends compte...?

Randa s'avança sur les pierres glissantes du torrent.

— C'est formidable, mon chéri, mais...

— T'en fais pas, m'man! Ernie m'a montré comment mettre les hameçons et les enlever de la bouche des poissons. Mais tu vois, Donny sait pêcher depuis longtemps, et il n'a attrapé que deux truites, alors que moi, j'en ai attrapé trois!

– C'est bien, mon chéri, mais tu n'as pas froid?
Scott n'écoutait pas.

– D'abord, il faut couper la tête, d'un coup bien sec. Ensuite, avec les doigts, il faut ouvrir le poisson en deux, et après, retirer tout le dedans; on appelle ça les vider. Après, on peut les cuire et les manger avec des amandes, ça doit être rudement bon...

Et il attaqua son troisième poisson, farfouillant sans se démonter dans les entrailles sanguinolentes de l'animal. Randa trouvait la scène affreuse. C'était comme si Scott se rattrapait d'avoir eu la chance de ne jamais voir le sang couler ailleurs qu'à la télévision. Sa petite langue rose, coincée entre ses lèvres et recourbée vers le haut, prouvait son intérêt et le niveau de sa concentration.

– ... mais il faut faire attention de ne pas se couper les doigts avec, sans quoi Hawk dit qu'on les mangera avec les poissons. Oui, c'est ce qu'il dit, et tu vois, m'man, je fais bien attention, hein...?

Randa porta la main à ses lèvres d'un air dégoûté, lorsqu'une voix, dans son dos, faillit lui faire perdre l'équilibre.

– Il apprend vite.
Hawk s'était approché sans un bruit. Il se tenait juste derrière elle. Randa fit volte-face et pointa un doigt meurtrier vers lui.

– Vous, commença-t-elle, je veux que vous appeliez Morton tout de suite. Appelez le gouverneur Adams en personne, ou qui vous voulez, mais sortez-nous d'ici le plus vite possible, vous avez compris.

– Ça ne te plaît pas, ici, maman? Moi, je trouve qu'on est bien.

– Non, on n'est pas bien, on n'est même pas bien du tout, Scott. Et pour commencer, fais-moi le plaisir de sortir de cette rivière et de rentrer à la cabane te laver les mains et la figure, tout de suite. Allez hop!

Scott en lâcha son poisson, qui retourna à la rivière sous forme de cadavre éventré. Son visage devint pâle. Ses yeux exprimèrent un profond désarroi. Randa ne lui parlait jamais ainsi, et surtout pas en public. Mais la vision de Scott, si heureux en compagnie d'hommes qui jouaient avec leurs vies à pile ou face, l'avait glacée d'horreur. Elle avait perdu son sang-froid.

Hawk s'adressa au petit garçon, d'une voix calme et réconfortante :

– Tu seras bientôt un excellent pêcheur de truites, Scott, mais pour l'instant, laisse ces poissons tranquilles, et va avec Ernie et Donny. Ils vont t'apprendre à seller les chevaux, d'accord?

– Oui, monsieur Hawk.

– Donny, Scott, allons-y, renchérit Ernie, qui tirait tranquillement sur sa pipe de bruyère.

Scott hésita un moment.

– Je peux y aller, m'man? demanda-t-il d'une toute petite voix.

L'Indien se tourna vers Randa pour lui chuchoter :

64

— Dites-lui qu'il le peut, fit-il sans la quitter des yeux, sinon je me charge de vous séparer de lui définitivement, aussi longtemps que durera votre séjour ici.

Randa serra les poings. C'était un odieux chantage mais elle avait perdu. Mieux valait le reconnaître et en tirer une bonne leçon pour l'avenir.

— Va... vas-y, mon chéri, mais promets-moi d'être très prudent, d'accord?

— Oui, m'man. Je n'ai plus peur des chevaux, maintenant, tu sais, alors ils sont gentils avec moi.

Lorsqu'il eut disparu, avec ses nouveaux amis, Randa se tourna vers l'Indien. Elle avait l'expression résolue des mères prêtes à tout pour sauver leur enfant d'un grand danger.

— Vous ne perdez rien pour attendre, O'Toole! Vous n'êtes qu'une espèce de monstre, et les monstres perdent toujours!

5

L'INDIEN ne se donna même pas la peine de répondre. D'un geste, il fit seulement comprendre à Randa qu'il était grand temps de rentrer au campement. En chemin, ils croisèrent un jeune homme adossé au tronc d'un cèdre, et qui sirotait tranquillement, les yeux dans le vide, une bouteille de whisky déjà bien entamée. Le jeune homme se redressa lorsqu'il aperçut Hawk et la prisonnière, et il dissimula maladroitement la bouteille derrière l'arbre.

— Salut, Johnny, dit O'Toole d'un ton laconique.

— Bonjour, Hawk.

— Tu connais sans doute Mlle Price?

— De vue, chef, de vue. Je sais qui elle est, bien sûr...

— Sans doute sais-tu aussi pourquoi nous faisons ça?

— Bien sûr, chef!

— Chacun a un rôle à jouer, Johnny. Tu sais ce que ça représente pour tout le monde. Ce n'est pas parce que la mine est fermée qu'il faut cesser de travailler. Les camions ont besoin d'entretien.

Je compte sur toi pour qu'ils restent en bon état de marche.

Les yeux noirs de Johnny reprirent un peu d'éclat.

— Tu peux compter sur moi, Hawk.

L'Indien considéra un moment la bouteille de whisky à moitié vide. Il n'avait rien à dire sur ce chapitre. Ses yeux en disaient plus long qu'aucun sermon sur l'alcoolisme.

— Tu es notre meilleur mécanicien, Johnny. J'ai besoin de toi. La mine a besoin de toi. Tout le monde, ici, a besoin de toi. Essaie de ne pas nous décevoir.

Le jeune homme redressa fièrement les épaules.

— C'est vrai que le quinze tonnes a besoin d'une sérieuse révision.

O'Toole lui tapa amicalement sur l'épaule, avant de s'éloigner.

— Comment pouvez-vous être sûr qu'il ne va pas se remettre à boire, dans cinq minutes? demanda Randa.

— Je n'en suis pas sûr, expliqua l'Indien. Simplement, j'espère qu'il ne le fera pas. Il y a pas mal de temps qu'il boit. Ça va être dur d'arrêter, mais je crois qu'il y arrivera.

Il est un peu jeune pour avoir ce genre de problèmes, non? C'est quand même rare d'être alcoolique à son âge...

— Disons qu'il est en train de payer certaines erreurs de jeunesse.

— Quel genre d'erreur? demanda la jeune femme.

– Il s'est marié avec une Anglo, répondit-il avec un regard accusateur. Il y a deux ans, une fille de Chicago; elle n'a pas supporté de vivre dans la réserve et l'a laissé tomber au bout de quelques mois. Johnny l'aimait vraiment. C'est à cause d'elle qu'il a commencé à boire.

– Si je comprends bien, vous essayez de lui redonner confiance en lui en le faisant travailler davantage, avec plus de responsabilités?

– Oui, c'est un peu ça.

– Vous êtes un peu le psychanalyste de la tribu, alors? sourit-elle, non sans malice.

– Appelez ça comme vous voudrez. Entrez-là, maintenant...

Et il l'entraîna dans une cabane obscure aux volets clos. Les hommes de la tribu s'étaient rassemblés à l'intérieur, de part et d'autre d'un grand bureau de bois ancien, entretenu avec amour, et qui brillait dans l'obscurité. Une lampe et un téléphone rouge trônaient sur la table. Tous les regards convergèrent vers Randa qui eut peur.

– Ernie n'est pas là? demanda Hawk après avoir refermé sur lui la porte de la cabine.

– Non, il s'occupe du petit, expliqua un des hommes en désignant Randa de son menton mal rasé.

– Le moment est venu d'appeler Morton, dit un autre. Dans cinq minutes exactement.

Pour la première fois, Randa eut l'impression d'un complot parfaitement organisé, où rien n'avait été laissé au hasard. Elle en eut froid dans le dos.

Hawk acquiesça d'un signe de tête. Puis il jaugea la prisonnière du regard.

– Asseyez-vous ici, lui intima-t-il.

– Pour quoi faire? protesta-t-elle d'une voix craintive.

Le regard masculin se durcit affreusement. Randa eut la sensation que ses yeux lançaient des poignards.

– Je vous ai dit de vous asseoir ici, réitéra-t-il. Sur cette chaise...

Randa s'exécuta. Elle prit place sur la seule chaise libre, près du bureau, en face de Hawk. L'Indien sortit un couteau de sa poche et le posa à côté du téléphone, avec un air de conspirateur.

– La conversation doit être brève, annonça-t-il. Trente secondes environ, quarante-cinq au grand maximum. Quand je vous passerai Morton, dites-lui seulement que vous êtes en bonne santé, que vous êtes bien traitée et qu'il fasse ce qu'on lui demande. Ne dites rien d'autre, ou vous le regretterez. C'est l'avenir de notre peuple qui est en jeu. Nous sommes prêts à sacrifier beaucoup, même nos propres vies, si cela s'avérait nécessaire. Je suppose que vous l'avez compris, mademoiselle Price?

– Très bien. Malheureusement pour vous, je n'ai pas l'intention de parler à Morton. Il y a longtemps que nous n'avons plus rien à nous dire, lui et moi.

Une rumeur parcourut l'assemblée. Les hommes avaient du mal à croire qu'on pût s'adresser à leur chef avec autant de cynisme et de désinvolture.

– Comme vous voudrez, déclara O'Toole. C'est donc Scott qui parlera à son père. Allez me le chercher, vous autres!

– Non! s'exclama aussitôt Randa. Non, je ne veux pas...

L'homme qui s'était levé pour aller chercher Scott se rassit, satisfait. Randa devinait que Morton devait être mort d'angoisse. Au téléphone, il transmettrait son énervement à Scott, qui pouvait donc se laisser influencer et dire quelque chose de compromettant. Randa savait que l'Indien n'hésiterait pas à mettre ses menaces à exécution, si l'entreprise échouait à cause d'elle, ou de Scott.

– C'est bon, capitula-t-elle. Vous avez gagné, monsieur O'Toole. C'est moi qui parlerai à Morton. Je ferai ce que vous avez dit.

L'Indien ne réagit pas. Il savait depuis le début que Randa ne se rebellait que par principe, qu'elle finissait toujours par faire ce qu'on lui demandait, pour protéger son fils de représailles éventuelles. Sans un mot, il composa le numéro de téléphone de Morton Price. Un silence pesant emplit la cabine. A l'autre bout du fil, il y eut trois sonneries successives qui parurent durer un siècle. Randa songea que le FBI avait sûrement mis en place un système de repérage perfectionné. C'était toujours ça de gagné! se dit-elle.

– Allô?

– Morton Price, nous avons votre femme et votre fils Scott, dit Hawk en déguisant sa voix.

Puis il tendit l'appareil à Randa qui faillit laisser tomber le récepteur tant elle avait les mains

70

moites. Hawk la gratifia d'un regard meurtrier. Chaque seconde comptait. Tout le monde, dans la cabine, en avait conscience.

– Morton?

– Randa! au nom du ciel! C'est bien toi? J'étais tellement inquiet... comment va Scott?

– Scott va bien.

– Vous n'êtes pas blessés?

– On est bien traités, très bien même.

Hawk se leva pour récupérer le téléphone.

– ... mais faites ce qu'ils demandent, je t'en prie. Sinon ils nous tueront, j'en suis sûre.

L'Indien lui arracha l'appareil des mains. L'espace d'un instant, chacun put entendre la voix de Morton Price, qui s'égosillait à l'autre bout du fil, posant des questions qui restèrent sans réponses. Hawk raccrocha. Les hommes soupirèrent de soulagement.

– Vous avez été parfaite, dit-il. J'étais sûre que vous seriez une comédienne irréprochable. Qu'on la ramène dans sa cabine...

Et il trancha le fil du téléphone avec son couteau.

– Nous n'aurons plus besoin de ça, désormais.

Randa eut un regard pitoyable.

– Vous n'allez quand même pas me laisser enfermée toute la journée? se lamenta-t-elle.

– Si vous étiez plus conciliante, mademoiselle Price, vous pourriez aller et venir à votre aise. Votre esprit de contradiction est malheureusement trop développé pour qu'il soit raisonnable de vous faire confiance. Je suis navré.

– Je veux que Scott reste avec moi, alors!

– Votre fils a fait preuve de plus d'intelligence que vous, jusqu'ici. Sans compter que ses facultés d'adaptation sont absolument remarquables. Nous n'avons aucune raison de garder cet enfant enfermé, que cela vous plaise ou non.

Un homme attrapa Randa par le bras. Elle dévisagea férocement l'Indien.

– Lorsqu'ils vous arrêteront, assena-t-elle d'une voix méchante, j'espère bien qu'ils vous jetteront en prison pour la vie.

– Ils ne feront ni l'un ni l'autre, répondit-il seulement.

Son assurance mortifia Randa plus que tout le reste. Elle n'arrivait pas à comprendre pourquoi il était si sûr de la réussite de l'opération. Quelque chose, mystérieusement, lui échappait encore.

– C'était vraiment un grand cheval, tu sais, maman, pas un poney! Et j'ai réussi à le faire avancer tout seul! Moi qui croyais qu'il n'y avait que les grands qui pouvaient monter à cheval! Après, Ernie est venu avec moi et on a galopé dans la forêt, mais c'est moi qui tenais les rênes, tu sais! Oui, les rênes, c'est comme ça que ça s'appelle le cordon qui passe dans la bouche du cheval et qu'il mâchouille toute la journée. Hawk m'a dit que demain, je pourrai sortir de l'enclos tout seul. Aujourd'hui, il n'a pas voulu que j'aille dans la montagne avec le cheval.

– On sera peut-être partis, demain, mon chéri! ton père va venir nous chercher, tu sais. Tu n'as pas envie de rentrer à la maison?

Scott fronça les sourcils pour réfléchir.

– Si, si, j'aimerais bien rentrer, maman! Mais pas demain. On est bien, ici. J'aimerais bien rester un peu plus...

– Mais tu n'as pas peur?

– Peur de quoi, m'man?

– De Hawk, par exemple?

– Pourquoi je devrais avoir peur de lui, m'man?

– Ce n'est pas bien ce qu'il a fait, tu sais, de nous empêcher de finir notre promenade en train, et de nous emmener avec lui, comme ça. On appelle ça un enlèvement. Tu sais ce que ça veut dire, non?

– Mais il est gentil, Hawk, m'man!

– Ton père t'a appris à ne pas te fier aux apparences, non? Tu sais bien qu'il faut toujours se méfier des gens qu'on ne connaît pas bien.

– Comme des messieurs qui attendent les petits garçons et les petites filles à la sortie des écoles?

– C'est ça.

– Mais Hawk n'a rien fait de mal avec moi. Est-ce qu'il a fait quelque chose de mal avec toi, m'man?

Randa se râcla la gorge avant de répondre. Elle avait horreur de mentir à son fils:

– Non, mon chéri, mais il y a d'autres façons de faire du mal aux gens.

– Tu crois que Hawk veut nous faire du mal? demanda le petit garçon en fronçant les sourcils d'un air vengeur.

Trop tard! Randa réalisa qu'elle lui faisait peut-être plus de mal que de bien. Elle ne voulait pas

73

effrayer Scott inutilement. D'un autre côté, elle ne voulait pas non plus qu'il prît l'Indien en adoration.

— Il ne nous fera pas de mal, mon chéri, mais essaie de ne pas oublier qu'il nous a enlevés. Il faut qu'on soit prudent, tous les deux, tu comprends?

— Oui, m'man, répondit Scott, d'une voix légère qui prouvait qu'il avait déjà oublié les recommandations de sa mère. Tu sais, aujourd'hui, Hawk m'a appris à pêcher les poissons avec un couteau, en se penchant au bord de la rivière comme au-dessus d'un miroir.

— Avec un couteau? s'indigna la jeune femme, qui commençait à craindre que l'Indien n'ait une influence désastreuse sur l'enfant.

— Il m'a seulement montré. Il n'a pas voulu que je fasse comme lui. Il dit qu'il faut commencer par observer les autres pour apprendre.

— Et qu'est-ce qu'il t'a appris, encore? s'enquit Randa, qui s'attendait au pire.

— Euh... je crois que c'est tout...

Randa eut envie de rire. L'innocence de Scott l'avait remise de bonne humeur. En même temps, elle ne pouvait s'empêcher de songer à ce dont il parlait. La porte de la cabine s'ouvrit au même instant. C'était l'Indien, en personne.

— Hawk! s'exclama gaiement Scott. J'étais justement en train de raconter à maman que...

— Que vous lui appreniez à se servir d'un couteau pour tuer les poissons, coupa Randa qui avait repris son air sévère. Vous ne croyez pas.

qu'il est un peu jeune pour jouer au cow-boy, monsieur O'Toole?

— Non, franchement, j'estime qu'il est utile, pour un garçon, de savoir ce genre de chose. Sans quoi, il pourrait très bien devenir un lâche, uniquement parce qu'il ne sait pas se défendre. Mais je suis là pour vous emmener dîner, vous deux. Tu viens, Scott? dit-il en tendant la main à l'enfant.

Scott bondit et nicha ses petits doigts dans la paume de l'Indien. Randa suivit le mouvement. Au centre du campement, la petite communauté s'était rassemblée autour d'un gigantesque feu de bois. Les femmes avaient préparé un chili, plat épicé de viande de bœuf et de haricots rouges, qui avait lentement mijoté depuis le début de l'après-midi. Randa trouva la nourriture délicieuse. C'était bon, chaud et réconfortant. Elle partageait avec Scott la couverture de l'Indien. Ils mangèrent tous les trois en silence. Les émotions de la journée avaient aiguisé leur appétit.

— Tout le monde me regarde, dit Randa lorsqu'elle eut vidé son assiette.

Après le repas, on s'attarda autour du feu. Les femmes parlaient et riaient ensemble. Quelques garçons jouaient de la guitare. Leurs voix graves montaient dans la nuit avec les étincelles rougeoyantes du brasier.

— C'est à cause de vos cheveux, expliqua l'Indien. Avec les reflets du feu, on dirait...

Mais il tut ce qu'il voulait dire et lui lança un regard qui fit baisser les yeux de la prisonnière.

– J'ai froid, murmura-t-elle. J'aimerais rentrer me coucher.

– Non, attendez un peu.

– S'il vous plaît, insista-t-elle.

– Si vous retournez dans votre cabane maintenant, je vais être obligé de désigner un garde pour vous accompagner. Les hommes ont besoin de repos.

– Je me moque de ce dont ils ont besoin ou pas, rechigna Randa. Je veux rentrer, c'est tout.

D'un geste de la main, Hawk appela Aube Janvier. La jeune fille se fit aussitôt un plaisir d'obéir. Il lui parla dans leur langue. Quelques minutes plus tard, elle réapparut avec une grande couverture orange, vive et soyeuse. Elle déshabilla Randa du regard et lui jeta presque le plaid au visage. Puis elle disparut comme elle était venue, sans un mot, sans un sourire.

– Qu'est-ce qu'elle a? demanda Randa, tout en se drapant dans l'étoffe laineuse. Léta est si gentille... Je ne comprends pas. A moins que ce soit ce que vous lui avez dit?

– Non, ce n'est pas ça. Aube m'aime bien. Ça ne lui plaît pas que nous ayons dîné ensemble.

– Pourquoi l'avoir appelée, alors? Vous auriez aussi bien pu demander à une autre femme.

– Non, elle avait besoin de manifester son désaccord. Sans quoi elle aurait fait supporter sa mauvaise humeur à sa mère, qui sait, peut-être toute la soirée...

– Encore votre côté psychologue! le taquina Randa, sans penser à mal. Partager un repas avec vous, cela signifie donc quelque chose? Ça me paraît normal, vu les circonstances, non?

– L'hiver dernier, j'ai insisté pour remettre en vigueur une ancienne coutume qui voulait que les membres d'une même famille prennent le plus souvent possible leur repas ensemble. Les jeunes avaient trop tendance à faire bande à part. Ça n'a pas donné grand-chose, chez vous, cette tendance, je crois?

– Donc, dîner avec vous, cela signifie que vous nous considérez, Scott et moi, comme faisant un peu partie de votre famille?

– Oui, on peut voir les choses ainsi. Pour un certain temps encore, je considère que vous êtes sous ma responsabilité.

– Cette jeune fille a l'air de prendre votre zèle très au sérieux, en tout cas. Notez que je regrette de ne pas être d'accord avec elle. Comment s'appelle-t-elle?

– Aube Janvier.

– C'est un joli nom. Elle ne vous plaît pas? Vous devriez offrir quelques chevaux à son père, il vous permettrait sans doute de l'épouser.

Hawk O'Toole faillit sourire. Son visage, cependant, resta de marbre.

– J'ai vu ce film de John Wayne, moi aussi, il y a longtemps. Cette façon de faire la cour à une jolie fille m'avait impressionné, à l'époque, mais c'est une méthode un peu dépassée. Je regrette...

Randa eut un geste de lassitude qui voulait dire : « Pourquoi cherchez-vous toujours la petite bête? »

– Vous savez très bien ce que je veux dire, souffla-t-elle d'un air entendu. Si vous vous occupiez d'elle, ou de n'importe quelle autre, j'aurais peut-être moins à subir les effets de votre mauvaise humeur... Suis-je assez claire, cette fois?

– On ne peut plus claire. Mais dites-vous bien que si j'avais envie de passer la nuit avec cette jeune fille, je n'aurais pas besoin de l'accord de la famille.

– Ah bon! Une sorte de privilège, si je comprends bien? Parce que vous êtes le chef de cette tribu?

– Non, parce que je m'appelle Hawk O'Toole.

Randa baissa les yeux. Évidemment, il était beau garçon. Pourtant, elle avait du mal à croire qu'il plût aux femmes, du moins autant qu'il le suggérait. Sa froideur avait de quoi refroidir le plus ardent désir. Pour Randa, il restait une brute sans cœur, dénuée d'âme et de sensibilité; un guerrier borné, épais, incapable de se montrer tendre à l'occasion, et qui vivait dans une autre époque, loin des réalités du xxᵉ siècle trépidant.

Mais il était beau! se répéta-t-elle. Ceci compensait cela. Bah! à quoi bon spéculer? L'Indien lui évitait au moins de broyer du noir à longueur de journée. Penser à lui, cela prenait du temps! Et le contredire ne manquait pas de piquant.

– Au fond, vous donnez beaucoup de conseils, mais vous vous en tenez là! jeta-t-elle avec un sourire moqueur. Vous épargnez la vieille maman d'Aube Janvier, mais vous passez vos nerfs sur moi. Vous voulez que les jeunes restent proches de leur famille, mais vous-même n'avez pas d'enfants...

– Qu'en savez-vous? coupa l'Indien qui ne voulait pas en entendre davantage.

6

LES hommes posèrent leur guitare et se firent plus tendres avec leurs épouses, avec leurs compagnes. Les enfants bâillaient. Le feu mourait. Chacun rentra bientôt se coucher. Lorsque l'Indien accompagna Randa jusqu'à sa cabane, ils tombèrent sur Aube Janvier, qui les attendait, un peu en retrait, assise sur son châle indigo. Ses longs cheveux noirs, bleuis par le clair de lune, rehaussaient l'étrange éclat de ses yeux de chatte, sombres et dorés. Hawk l'apostropha un peu rudement, et la jeune fille disparut dans la nuit, non sans s'être défendue avec aplomb.

— Pourquoi nous attendait-elle? demanda Randa.

— Elle voulait s'assurer que vous étiez rentrée. Elle dit qu'il faut bien vous surveiller, cette nuit. Je ne sais pas ce qui lui prend...

— Si vous voulez mon avis, s'impatienta Randa, ce n'était pas moi qu'elle attendait, mais vous. Elle croyait sans doute que vous passeriez la nuit avec moi.

— Elle ne se trompait peut-être pas.

Randa posa un regard interrogateur sur le visage d'Hawk O'Toole. Aussitôt, elle comprit qu'il ne plaisantait pas. Ses yeux bleus la défiaient, par jeu et par plaisir. Profitant de la surprise de Randa, il la plaqua sensuellement contre la porte de la cabane. Toutes les lumières du campement s'étaient éteintes, les unes après les autres. Randa eut peur.

— Elle ne se trompait peut-être pas, réitéra l'Indien.

— Il faudra me tuer d'abord, O'Toole...

Les lèvres câlines de l'Indien effleurèrent celles de Randa, rapidement, mais ils en frémirent ensemble d'un même frisson prometteur.

O'Toole arc-bouta son corps contre la prisonnière, qui voulut échapper à cette étreinte, sans succès, car il était le plus fort.

— Ne me touchez pas, fit-elle. Si je crie, Ernie viendra et les autres aussi.

— Évitez cela, pour Scott, lança O'Toole, le sourire aux lèvres. Il pourrait lui arriver des tas de choses regrettables par ces temps bien difficiles...

— Vous ne lui ferez pas de mal, je le sais.

— A moins d'être madame Soleil, vous ne pouvez pas en être sûre, non?

Randa se débattit de toutes ses forces, mais l'Indien tint bon. Il n'avait même pas besoin de se servir de ses muscles pour contrer sa prisonnière, qui réagissait sous le coup de l'affolement, sans aucune maîtrise, et gaspillait son énergie dans le vide.

— Je vous dis que ne me laisserai pas faire, réitéra-t-elle.

– Franchement, je crois que si, objecta l'Indien d'une voix profondément grave, parce que vous en mourez d'envie, au moins autant que moi.

La bouche masculine s'abattit sur les lèvres closes de la jeune femme qui, à force de caresses et d'incitations évocatrices, finit par répondre au baiser de Hawk O'Toole. Il la berça un moment dans le carcan de ses bras puissants. Puis ses lèvres glissèrent sur la gorge de la prisonnière, hérissant sa peau blanche et nacrée, comme une rafale de vent tropical, un soir de pluie chaude et bienfaisante.

– Vous avez adoré le feu de bois, murmura-t-il, et les épices, et ces garçons qui chantaient dans la nuit...

Randa aurait voulu lui échapper. Quelque chose en elle refusait cette étreinte, catégoriquement. Son corps, en revanche, ses sens se souciaient peu des pensées vagabondes. Et lorsque l'Indien reprit sa bouche, elle ouvrit les lèvres sous son baiser. Les paumes ouvertes contre la poitrine de O'Toole, elle se tendit sensiblement vers lui, comme si elle avait souhaité, ne serait-ce qu'un instant, disparaître dans ce baiser, dans ce corps d'homme, si rassurant par sa force, mais qui mettait son orgueil au supplice. Les lèvres de l'Indien roulèrent sur les siennes, douces, chaudes, vibrantes comme un muscle tendu par l'effort. Puis il la relâcha enfin pour mieux la reprendre et la mouler contre son corps enragé de désir.

– Pourquoi ai-je tellement envie de vous? fit-il

en un soupir qui faisait écho aux révulsions de Randa.

Pourtant, elle jeta les bras autour du cou de cet homme, sentit sous ses paumes la nuque solide, et sous ses doigts les cheveux noirs et drus de Hawk O'Toole. Elle s'était déhanchée contre lui. Il lui décrivait son désir avec des mots crus qui la faisaient trembler comme des caresses. Mais il se recula soudain, sans hésitation ni lenteur, parce qu'il en avait décidé ainsi.

– Combien d'hommes ont sacrifié leur honneur et leur intégrité pour quelques instants de plaisir entre vos...?

– Taisez-vous.

– Je ne leur ressemble pas, mademoiselle Price. Non, je ne leur ressemble pas.

Et il disparut dans l'obscurité phosphorescente. Randa se précipita dans la cabane et referma la porte derrière elle, horrifiée. Des mains, elle se couvrit le visage, honteuse. Elle pleura même un peu. Son corps frémissait encore du souvenir de l'Indien, tandis qu'elle brûlait de rage de s'être laissée envoûtée par sa beauté, par ce charme qui émanait de lui comme un poison et devenait irrésistible entre ses bras.

Mais de son côté, se demanda-t-elle, pourquoi l'avait-il embrassée ainsi, pas seulement fougueusement, mais passionnément, comme si ce baiser avait eu pour lui quelque chose de vital? Comme s'il avait agi lui-même contre sa propre volonté, soumis comme sa prisonnière à une mystérieuse attraction, plus puissante que toutes les décisions sages.

A quatre heures du matin, Randa n'avait toujours pas fermé l'œil. Elle n'avait trouvé aucune réponse satisfaisante aux questions qui la hantaient depuis des heures. Une seule chose était sûre : il ne fallait pas compter sur Morton pour les sortir rapidement des griffes de Hawk O'Toole. Et même si Morton faisait le maximum, les négociations pouvaient durer des semaines, voire des mois. Il était donc grand temps de passer aux actes. Pour Scott, comme pour elle-même.

L'idée d'une évasion pure et simple lui vint, une heure avant l'aube. Elle se jeta à corps perdu dans cette possibilité, refusant de considérer les risques, parce qu'elle savait qu'ils viendraient rapidement à bout de l'espoir. En rentrant à la cabane, elle avait nettement vu un des camions avec une vitre baissée. Ou plutôt, c'était un reflet de lune sur la carrosserie qui lui avait fait prendre conscience de la vitre baissée. D'après son souvenir, Hawk ne s'en était pas aperçu. Et vu ce qui s'était ensuite passé entre eux, il était probablement allé se coucher, perdu dans ses pensées comme un aveugle. C'était le premier bon point.

Dans la soirée, Randa se rappelait avoir vu Johnny disparaître dans la montagne, avec sa bouteille de whisky. Dans l'après-midi, Johnny s'était remis au travail après l'intervention de O'Toole. De ce qui s'était passé entre-temps dépendaient les chances qu'avait Randa d'échapper à ses ravisseurs. Johnny avait pu abandonner son poste rapidement, pour boire un coup, suc-

84

comber à l'alcool, et avoir tout simplement oublié les clefs de contact à bord du camion; ce que tendait à prouver la vitre baissée. C'était le deuxième bon point. Randa était malade à l'idée de profiter de l'inconscience du jeune homme, mais c'était sa seule chance de fuir, et elle n'avait pas l'intention de la laisser passer.

Restaient beaucoup d'obstacles. Pour commencer, elle ignorait où elle se trouvait. Les Rocheuses étaient immenses. Bien des aventuriers s'y étaient perdus en croyant les connaître. D'un autre côté, elle n'aurait qu'à suivre la route, en admettant que cette route mène quelque part. Il faudrait aussi qu'il y ait suffisamment d'essence dans le camion, ce qui n'était pas certain. Pour couronner le tout, Randa n'avait pas d'argent. Son sac à main était resté dans le train de Silverado. Toutes ces considérations auraient dû venir à bout de son projet, mais il n'en fut rien. Randa en vint même à bénir le baiser de O'Toole, dont le remords l'avait tenue éveillée, et qui lui avait donné l'idée et le courage d'essayer de fuir.

Échafauder un plan était une chose. Le mettre à exécution en était une autre. Le premier obstacle rencontré par Randa, ce fut de réveiller Scott, qui dormait à poings fermés. Une heure avant l'aube! se dit-elle, anxieuse et tout excitée à la fois. N'était-ce pas l'heure du plus profond sommeil? Si, elle se souvenait l'avoir lu quelque part, dans une revue sérieuse.

Scott grogna cent fois, puis il consentit à ouvrir un œil, qu'il referma aussitôt. Randa le secoua comme elle n'aurait jamais osé le faire dans d'autres conditions.

– Réveille-toi, mon poussin, je t'en prie! Réveille-toi! Allez! Scott! Je sais qu'il est très tôt, mais il faut que tu te réveilles. On va faire un jeu avec Hawk...

Le petit garçon se redressa d'un bond et s'assit dans son lit, les paupières mi-closes.

– Un jeu? marmonna-t-il. Avec Hawk?

– Oui, mon poussin!

Randa se sentit mal à l'aise. Elle n'avait jamais menti à son fils, aussi dure qu'ait été quelquefois la vérité. Mais sans doute lui pardonnerait-il, lorsqu'il comprendrait ce qui avait été en jeu.

– Je t'explique, reprit la jeune femme. La première règle, c'est de ne faire aucun bruit.

– Comme quand on joue aux gendarmes et aux voleurs?

– Oui, c'est ça.

– Mais pourquoi?

– Parce que les Indiens entendraient une mouche voler dans un embouteillage, tu comprends?

– Mmm... On va jouer à cache-cache, avec Hawk, alors?

– Oui, et il ne faut surtout pas qu'il gagne, sinon il nous enfermera ici toute la journée, peut-être pire...

– J'ai pas du tout envie de rester enfermé là, moi! s'indigna Scott. On va gagner, m'man, t'en fais pas! Et si on gagne, qu'est-ce qui se passera?

– On sera libre... de faire ce qu'on veut toute la journée.

– Chouette! Je pourrai retourner à la pêche avec Ernie, alors?

– Oui, mon poussin! Allez, habille-toi vite, maintenant, et surtout n'allume pas la lampe.

Scott enfila son jean et son polo en quatrième vitesse. La perspective de passer la journée à patauger dans la rivière avait eu raison de son envie de dormir. Pendant ce temps, Randa chercha leur garde dans l'obscurité blanchâtre et comme épaisse qui précède l'aube. Par bonheur, l'homme s'était endormi au pied d'un arbre, enroulé dans une couverture qui le protégeait tant bien que mal. Randa eut alors la certitude que le ciel était avec eux. Puis elle admit l'autre hypothèse, plus plausible, qui lui soufflait que le garde dormait peut-être toujours un peu, en fin de nuit, comme ce matin-là.

– Écoute, Scott, il va falloir faire très attention de ne pas réveiller le garde, d'accord?

– Oui, m'man.

– Fais attention où tu marches. Dis-toi que tu es aussi léger qu'un papillon, et tout se passera bien, tu verras!

– Oui, m'man, mais tu ferais peut-être mieux de me porter! De toute façon, ça fera deux fois moins de bruit.

– Tu as raison. Allons-y, maintenant. Tu n'as rien dans tes poches qui puisse tomber?

– Non, rien.

Et Randa prit son fils dans ses bras. A six ans, il n'était pas bien lourd, et c'était bien sûr plus prudent. Si le garde se réveillait, elle pourrait toujours expliquer que Scott avait fait un cauchemar et qu'elle voulait lui faire prendre l'air.

Mais le garde ne broncha pas. Il rêvait à des jours meilleurs sous un cèdre séculaire dont l'ombre bleue préservait son sommeil. Randa ne fut rassurée qu'à une cinquantaine de mètres plus loin. Là, elle s'arrêta dans la nuit, pour épier à son tour les bruits. Rien d'autre ne vint frapper son oreille que le cours lointain du torrent, que le souffle plein de l'esprit du vent dans les arbres, que le hululement d'un hibou au-dessus de leurs têtes, comme un mauvais présage. Mais elle refusa de se laisser décourager. D'ailleurs, tout se présentait bien.

La jeune femme se mit à courir jusqu'à l'abri en tôle qui servait de garage, et où se pavanait le camion à la vitre baissée. Un chien aboya, puis se tut, croyant sans doute qu'il avait rêvé. Randa reposa son fils sur le sol.

— Qu'est-ce qu'on fait, maintenant, m'man?

— Reste à la porte, mon poussin! Je vais voir si le camion marche.

— Mais je ne veux pas rester là tout seul, moi! J'ai froid. J'ai sommeil, m'man.

— Hawk a dit que c'était ton rôle de rester à faire le guet pendant que je m'occupais du camion.

— Il a dit ça?

— Oui, c'est ce qu'il a dit, mon chéri! Si tu t'ennuies, pense à la rivière, d'accord?

— Je préfère jouer à quelque chose d'autre, m'man. Dépêche-toi qu'on puisse retourner se coucher.

– Je n'en ai pas pour longtemps, je te le promets. Si quelqu'un vient, tu te caches, d'accord?

– Oui, m'man.

Randa faillit sauter de joie, siffloter « Chantons sous la pluie », en pataugeant dans le cambouis du garage. Le pauvre Johnny avait bien oublié les clefs sur le camion abandonné. Elle le remercia du fond du cœur, et donna, par la même occasion, un coup de chapeau à son intuition. Sa mère lui avait toujours répété que les femmes étaient maîtresses en la matière!

Randa vint récupérer Scott, qu'elle assit contre son gré dans la cabine du trois tonnes.

– Hawk ne nous trouvera jamais là-dedans, m'man!

– J'espère bien, mon poussin! Accroche-toi, maintenant, on va filer d'ici en vitesse.

Randa épongea la moiteur de ses paumes sur sa jupe, puis elle saisit le volant d'une main, et la clef de contact de l'autre. Le moteur toussota deux fois, puis il démarra en trombe. Randa frémit de la tête aux pieds. Le bruit était à peu près aussi discret qu'une sirène d'incendie, un soir de Noël. Il y avait au moins de quoi réveiller les morts, et ce fut sans doute pourquoi les vivants ne bronchèrent pas, englués dans le sommeil comme des loutres à la fin de l'hiver. Randa eut une pensée pour Hawk. Lui, il pouvait ne pas dormir! se dit-elle, mais elle ravala cette pensée comme si de rien n'était, et fonça droit devant elle, sans se soucier d'écraser quelqu'un ou quelque chose. Scott s'était accroché à son siège. Il ne comprenait plus très bien pourquoi sa mère faisait un tel brouhaha après avoir si instamment réclamé le silence. Tout ça le dépassait, décida-t-il. D'ailleurs, il était tellement ensommeillé qu'il n'avait même pas envie de demander le pourquoi des choses.

Le camion traversa le campement avec un bruit d'enfer et s'engagea sur la route déserte et rocailleuse. Randa s'attendait à voir surgir à chaque seconde une horde d'Indiens armés jusqu'aux dents. Mais rien de tel ne se produisit. Elle se demanda même si elle ne rêvait pas car, malgré le froid glacé du matin, elle suait comme dans un sauna. De grosses gouttes lui roulaient sur les hanches, sans se presser.

— Scott, on a réussi! On a réussi, mon poussin! s'exclama la jeune femme en s'essuyant le front sur la manche de son affreux corsage couleur de pomme de terre.

Au même moment, dans le faisceau jaunâtre des phares qu'elle venait d'allumer, surgit une sorte de mur en grillage. Randa n'eut le temps que de passer en troisième, et de pousser les gaz au maximum.

— Scott! Baisse-toi, hurla-t-elle.

Et le camion franchit en se cabrant la fragile barrière de métal, dans un bruit d'apocalypse. Revenu de sa frayeur, Scott dévisagea sa mère avec inquiétude.

— M'man, t'es sûre que c'est pour rire?

— Oui, mon chéri, mais accroche-toi, on dirait que la portière ne ferme pas bien.

Scott se cala fermement sur ses petites fesses.

Ce n'était pas un bagarreur. L'expédition ne lui plaisait pas beaucoup.

– Quand est-ce que Hawk vient nous chercher, m'man? Je voudrais mon petit déjeuner.

– On déjeunera tout à l'heure. Pour l'instant, le jeu n'est pas fini, sourit Randa qui reprenait confiance.

La route défila en ligne droite sur plusieurs kilomètres. Randa dut ensuite ralentir, à cause des virages, de plus en plus nombreux et rapprochés. Les premières lueurs de l'aube rosissaient le ciel à l'est, et les neiges éternelles se réveillaient dans un miroitement de couleurs rougeâtres. Plusieurs kilomètres passèrent encore, avant que le soleil se lève, sur la crête des montagnes. C'était beau. Randa se sentit soudain plus heureuse qu'un poisson dans l'eau. Comme c'était bon, songeait-elle, de filer sur cette route déserte, de filer vers Chicago où l'attendaient tous les plaisirs de la civilisation! Et pour commencer, elle irait chez le coiffeur. L'idée la traversa même de se faire teindre en brune, histoire d'échapper une fois pour toutes à la convoitise des barbares dans le genre de Hawk O'Toole. Elle avait aussi besoin d'une bonne manucure.

Au même instant, Scott, qui commençait à s'ennuyer, bondit sur son siège comme un damné.

– M'man, c'est Hawk! triompha-t-il, tout excité à l'idée de retrouver ses amis.

Randa faillit s'étouffer, puis elle se crut enragée, et finit par pousser un affreux soupir de crainte et de désespoir. L'Indien et ses hommes, tous à cheval, barraient la route au virage. Les parois de la montagne, de chaque côté du camion, rendaient toute fuite impossible.

— Il nous a trouvés, m'man! Tu te rends compte ce qu'il est fort! Hawk, on est là, on est là! criait Scott à tue-tête, en se penchant à la portière.

Randa stoppa le camion à une dizaine de mètres du groupe. Elle tremblait comme une mouche prise au piège de la toile d'araignée, qui ne peut plus compter que sur la grâce du plus fort pour échapper à une mort affreuse, ou à son manque d'appétit...

Un nuage de poussière rose parut emporter le camion sur un tapis volant. Puis tout redevint calme. Devant, Hawk et ses hommes n'avaient pas bougé d'un muscle. Ils savouraient leur victoire, O'Toole plus que tous les autres. Scott descendit en toute hâte et courut vers son héros préféré, qui l'accueillit avec un sourire de reconnaissance. L'Indien releva ensuite les yeux vers sa prisonnière, qu'il bombarda d'un regard bleu à périr. Derrière lui, le soleil se levait, dans sa majesté lui faisant une auréole glorieuse dont il n'avait nul besoin.

— Descendez.

Randa n'en croyait pas ses yeux. Elle réalisa trop tard qu'elle aurait aussi bien pu ne pas s'arrêter, qu'elle aurait même pu les tuer, et rouler encore vers la liberté, à plein gaz. Dans les yeux de O'Toole, hélas, on pouvait tout lire sauf la peur d'avoir frôlé la mort.

— M'man croyait qu'on avait gagné, expliqua

Scott qui dansait d'un pied sur l'autre, tout à sa joie. Moi, je savais que tu finirais par nous retrouver. Mais tu sais, j'ai bien fait ce que tu avais dit; j'ai attendu à la porte du garage jusqu'à ce que maman paraisse, dans sa superbe auto. Il faisait nuit, mais avec l'éclairage, on pouvait voir jusqu'aux flancs du côteau... Ça t'a plu, le jeu, Hawk, hein?

Le bleu glacial des yeux de Hawk O'Toole passa de la mère à l'enfant, puis il revint fixer la prisonnière anéantie par sa double défaite.

— Oui, j'ai beaucoup aimé, petit, déclara-t-il. Mais la deuxième partie du jeu est encore plus drôle que la première. Que dirais-tu de rentrer au campement, là-dessus?

Et il lui montra, d'un doigt autoritaire, un poulain noir aux bons yeux sombres et guillerets.

— C'est vrai? jubila Scott. Je peux rentrer à cheval, Hawk?

L'Indien ne se donna même pas la peine de répondre et il fit signe à ses hommes de s'occuper du garçon, de veiller à ce qu'il ne se fasse aucun mal. Puis il amena son cheval devant le camion, où Randa osait à peine respirer et s'attendait au pire.

— Que comptez-vous faire, maintenant? demanda l'Indien, comme on demande l'heure, dans la rue, à une jolie passante, rien que pour le plaisir d'entendre sa voix.

— Je vais ramener le camion au campement, bégaya-t-elle.

— Johnny s'occupera du camion. Il est venu pour ça.

– Je ne veux pas monter à cheval avec vous, O'Toole. Ça me rappelle de trop mauvais souvenirs.

L'Indien se pencha sur l'encolure de son étalon fauve et sourit d'un sourire à vous glacer le sang dans les veines.

– C'est bon, assena-t-il, vous irez donc à pied!

7

— A pied? s'indigna la jeune femme.

L'Indien donna le signe du départ à ses hommes. La petite caravane s'ébranla vers le sud.

— Oui, dit-il. Avancez, maintenant, et plus vite que ça...

— Mais le campement est à des kilomètres!

— Douze kilomètres à vol d'oiseau.

— Vous êtes complètement fou, O'Toole! Je ne bougerai pas d'ici. J'attendrai que Johnny revienne avec le camion.

Les hommes s'étaient déjà éloignés. L'Indien s'approcha dangereusement de sa prisonnière.

— Je ne vous laisserai pas abuser une seconde fois ce pauvre gosse, expliqua-t-il. Ce serait un détournement de mineur. Il n'a que dix-sept ans. Ça vous rend toute chose de savoir ça, hein?

— Je vous interdis de me parler sur ce ton, vociféra Randa.

— Et moi je vous interdis de me prendre pour un imbécile! Moi et mon peuple, entendez-vous? Et maintenant, marchez.

Il fit claquer son fouet sur les flancs du cheval.

Randa eut peur. Seule, elle n'aurait pas fait un pas. Elle aurait refusé d'obéir. Hélas, Scott avait disparu avec les autres. Le perdre de vue affolait Randa. Elle trouvait la force de se défendre et de résister lorsque son fils était à ses côtés, mais séparée de lui, elle était prête à tout pour protéger sa vie. Pour ne lui éviter qu'une égratignure, elle aurait pu marcher des heures dans le désert. Elle ravala donc son orgueil et sa défaite, et s'avança dans la direction indiquée par l'Indien.

Le soleil était déjà haut dans le ciel. Ses rayons brûlaient. Très vite, Randa se sentit épuisée. Elle avait faim. La présence de l'Indien, dans son dos, qui faisait régulièrement claquer son fouet avec un bruit sinistre, la rendait malade. A chaque pas, un flot de questions angoissantes, traversaient l'esprit de la jeune femme. Elle craignait surtout les représailles de O'Toole contre Scott.

Vers le troisième kilomètre, elle commença de trébucher sur les pierres. Le nylon du chemisier, trempé de sueur, lui collait affreusement à la peau. Elle allait se mettre à pleurer de rage lorsqu'un énorme lézard, jaune et vert, avec une tête cornue hideuse, jaillit devant elle d'un rocher. Randa poussa un cri si horrible que l'étalon de O'Toole s'emballa. L'Indien eut même un peu de mal à calmer son cheval. Randa, entre temps, s'était affalée sur un rocher, persuadée qu'elle allait mourir de la morsure d'un serpent foudroyant. L'Indien eut pitié d'elle. Il la chargea brutalement sur son cheval, et galopa vers le campement, sans se soucier des cris de la prisonnière.

Lorsqu'ils furent de retour dans la cabane qu'elle avait quittée deux heures plus tôt avec un fol espoir, l'Indien sortit son couteau et la jeta sur le lit. D'une de ses poches, il extirpa aussi une longue lanière de cuir noir, qu'il coupa en morceaux de soixante centimètres de longueur. Randa s'affola.

– Si vous avez l'intention de vous débarrasser de moi, je vous en prie, je ne veux pas que Scott me voie quand je serai morte! Ce serait affreux pour lui! Promettez-moi de ne pas faire ça, O'Toole, je vous en prie...

Et elle éclata en sanglots. L'Indien ne dit rien pendant un moment. Il savourait sa victoire. Un léger sourire avait détendu ses traits abîmés par la colère.

– Vous perdez le sens des proportions, mademoiselle Price, ce lézard que vous avez pris pour un boa constrictor était complètement inoffensif. J'en déduis que vous n'avez jamais mis les pieds aux Canaries, où ils sont légion, ni au somptueux Muséum d'histoire naturelle de Chicago, qui en possède de magnifique spécimens orange, et mêmes violets. D'ailleurs, il vous aurait suffi de regarder cet animal avec un minimum d'attention pour vous rendre compte qu'il s'agit probablement d'une des créatures les plus douces et les plus craintives du monde. Seulement, j'imagine que vous pensiez à autre chose...

Et il rabaissa son chapeau noir sur ses yeux, afin que la prisonnière ne pût se rendre compte à quel point il avait envie de rire au fond.

— Ne faites pas de mal à mon fils, reprit Randa d'une voix plaintive.

L'Indien fit claquer les lanières de cuir sur le bord du lit où Randa gisait, terrifiée. Puis il l'attacha, membre par membre, comme un bourreau arrimant sa victime sur la chaise électrique. La jeune femme voulut se défendre, cherchant à griffer ou à mordre, au petit bonheur. Elle reçut alors une gifle monumentale qui la calma aussitôt.

— Vous en avez assez fait pour aujourd'hui, vous ne croyez pas? dit l'Indien.

Randa baissa les yeux. La gifle lui avait plutôt fait du bien. Le coup l'avait réveillée de sa terreur, due essentiellement à la fatigue.

— Pour qui me prenez-vous? reprit O'Toole. Vous savez très bien que nous ne ferons pas de mal à Scott. D'ailleurs, c'est ce que nous avions prévu avec votre...

L'Indien se tut. Randa ouvrit des yeux alarmés.

— Avec qui? demanda-t-elle d'une voix vibrante d'émotion, tandis que deux grosses larmes, auxquelles elle ne prit pas garde, roulaient sur ses joues salies. Avec Morton? Oh non! Ne me dites pas que Morton est votre complice, gémit-elle, avec une moue pitoyable.

— Je ne vous ai rien dit, commenta l'Indien qui resserrait vigoureusement ses liens, sans du tout s'émouvoir.

Randa le contempla attentivement, mais le visage de O'Toole demeurait indéchiffrable. Cependant, la jeune femme comprit la situation en un éclair. Morton Price était candidat aux prochaines élections de l'Ohio Nord. Il ambitionnait de devenir gouverneur, en fin de carrière, et s'était mis sur les rangs. L'enlèvement avait le monstrueux avantage de lui permettre de faire la une des journaux pendant des semaines! Mais elle hésitait encore à croire qu'il ait eu l'affreux courage de mettre la vie de leur fils en danger pour servir ses ambitions politiques.

— Dites-moi que ce n'est pas vrai, O'Toole! implora-t-elle. Dites-moi la vérité, je vous en prie... Morton a-t-il monté ce coup avec vous?

L'Indien vérifia que la jeune femme était solidement attachée sur son lit, qu'elle n'aurait pas la moindre chance de se libérer sans lui.

— Oui, répondit-il enfin.

— Oh, non! Non!.

Il releva son chapeau sur le haut de son crâne. Son regard bleu toisait Randa avec un profond mépris.

— On vous apportera à boire toutes les deux heures, ajouta-t-il. Et puisque vous vous êtes délibérément passée de petit déjeuner, vous attendrez jusqu'à ce soir pour avaler quelque chose. Ça vous permettra de perdre vos kilos superflus.

Il rangea son couteau.

— Vous n'allez quand même pas me laisser attachée comme ça, toute la journée! se lamenta Randa.

— Si. Nous avons essayé la méthode douce, mais ça ne marche pas, avec vous, mademoiselle Price. Vous avez abusé de ma bonne volonté.

— Votre bonne volonté! Mais... mais c'est vous

qui m'avez enlevée, hurla-t-elle, à bout de nerfs. A ma place, vous auriez essayé de vous échapper, vous aussi...

– Sans aucun doute, mais j'aurais réussi.

– Je ne veux pas que Scott me voie comme ça, attachée. En plus, je suis toute sale. Ça pourrait le choquer...

– C'est pourquoi vous ne le verrez plus, désormais.

Randa pâlit. Un hoquet lui souleva la poitrine. Elle prit conscience de ses liens, qui lui blessaient cruellement les chevilles et les poignets.

– Que voulez-vous dire par là? miaula-t-elle d'une toute petite voix.

– A partir d'aujourd'hui, Scott s'installe chez Ernie.

Un flot de larmes noya les yeux verts de Randa.

– Non, pas ça, je vous en prie, O'Toole! Pensez à Scott. Je vais lui manquer. Il va se sentir complètement perdu. Vous lui avez déjà fait assez de mal comme ça. S'il vous plaît...

– S'il manifeste le désir de vous voir, nous l'amènerons ici. Nous vous détacherons pendant les visites, c'est tout. Vous ne lui direz que ce que je vous autoriserai à dire.

– Je lui dirai ce que je voudrai, siffla la jeune femme.

– Vous n'êtes plus en mesure de décider de rien, Randa Price. Essayez de vous mettre ça dans la tête.

– Si vous m'éloignez de Scott, je n'ai plus rien à perdre, O'Toole.

– Comme vous l'avez deviné, Morton a organisé l'enlèvement lui-même.

Randa se souvint en effet, avec horreur, que Morton s'était livré devant Scott à une description mirobolante du train de Silverado.

– Mais nous n'avions pas prévu que vous mettiez votre grain de sel dans l'histoire. Vous n'avez rien à craindre pour Scott. Morton est peut-être un père indigne, mais il tient à revoir son fils vivant. En revanche, je crois qu'il ne serait pas mécontent d'être débarrassé de vous. Définitivement.

Et il la laissa seule jusqu'au soir.

Randa dévorait un plat de truites aux patates douces et aux oignons. Elle posa sa fourchette entre deux bouchées. O'Toole dînait avec elle.

– Vous avez eu tort de lui faire confiance, dit-elle. Morton ne respectera pas ses engagements.

L'Indien fit la sourde oreille.

– Vous entendez? insista Randa.

– Oui, concéda l'Indien, qui repoussa son assiette d'un air pensif, et se rabattit sur une tasse de café brûlant.

– Pourquoi refuser de voir la vérité en face? continua la jeune femme. Vous savez très bien que j'ai raison.

– C'est possible, mais à votre place, je n'insisterais pas là-dessus. Si Morton nous faisait défaut, nous serions obligés de vous éliminer.

– Et Scott?

– Scott vous oubliera vite. Il adore vivre ici. En moins d'un an, il sera plus indien que nature,

101

faites-moi confiance. Bien sûr, ça fera un gosse de plus à nourrir. Je préférerais quand même que Morton tienne parole. Pas vous?

Randa faisait une tête d'enterrement. Imaginer Scott en hors-la-loi, vivant à moitié nu sur les rives d'un torrent glacé, lui était plus insupportable que l'idée de sa propre mort.

– Que vous a promis Morton exactement? demanda-t-elle enfin, d'une voix conciliante et qui tremblait un peu.

– De parler au gouverneur et d'obtenir la réouverture de la mine. Ça vous étonne?

– Bien sûr que non, je voulais dire, en échange de quoi?

– De la publicité due à l'enlèvement.

Randa serra les poings.

– Je m'en doutais, rumina-t-elle. Je n'arrive pas à croire qu'il en soit arrivé là...

– Vous le haïssez parce qu'il vous a fait souffrir, mais Morton est un type bien. Je suis allé le voir, il y a plusieurs mois, après avoir lu ses articles dans le *Washington Post*. Il y défendait les Indiens...

– Vous êtes encore plus naïf que je ne le pensais, O'Toole. Morton n'a pas écrit ces articles lui-même. Il en aurait été bien incapable. Sans compter qu'il se fiche éperdument des Indiens, parce qu'il se fiche de tout, excepté de lui-même! Il a signé ces articles parce qu'ils contribuaient à lui forger une réputation d'ouverture, en somme parce qu'ils lui faisaient de la publicité. O'Toole, vous vous êtes fait avoir par un arriviste médiocre!

– Même si c'était vrai, nous n'avons plus rien à perdre, puisque nous avons déjà tout perdu. Autrefois, la mine nous appartenait.

Son regard parut franchir les murs de la cabine et se perdre dans un lointain passé, qui étincela aux fond de ses yeux bleus comme le souvenir d'un âge d'or. Puis il se concentra sur sa prisonnière.

– Nous avons déjà eu du mal à accepter que la mine passe aux mains des affairistes de Chicago, mais nous ne pouvons pas les laisser la fermer, c'est impossible.

– Pourquoi veulent-ils la fermer? Elle ne rapporte plus d'argent?

– Si, au contraire. Le problème est là, justement.

– Je ne comprends pas, O'Toole. Si la mine rapportait vraiment beaucoup d'argent personne n'aurait envie de s'en débarrasser.

– Ceux qui ont acheté cette mine espéraient au contraire qu'elle serait très rapidement déficitaire. Pourquoi? Parce qu'ils cherchaient un moyen légal de diminuer considérablement leurs impôts. La mine leur aurait permis d'importantes déductions. Pour eux, c'était une aubaine : des millions de dollars en moins pour le fisc, en plus pour eux. Malheureusement, nous avons découvert de nouveaux gisements au début de l'année. Les Styrox ont bien cru que la période de vaches maigres était finie, mais c'était compter sans cette bande de rapaces, qui ne pensent qu'à l'argent.

– Et le bureau des Affaires indiennes n'a rien fait? objecta Randa.

– Si, mais ils ont eu beau retourner le problème dans tous les sens, ces types ont loué la mine pour un siècle. C'est comme s'ils en étaient propriétaires. Légalement, ils peuvent en faire ce qu'ils veulent. La loi est comme ça. Que des milliers d'être humains aient à en souffrir ne pèse pas lourd dans la balance. L'argent, il n'y a que ça qui compte, pour vous autre Blancs.

Randa baissa les yeux sous le regard d'accusateur de Hawk O'Toole. Elle regrettait de lui avoir suggéré de demander une rançon, le premier jour.

– J'ai effectué quantité de démarches infructueuses, avant de tomber sur Morton, reprit l'Indien. On m'avait si souvent claqué la porte au nez! Morton me parut différent. Il m'accueillit chaleureusement. Avec lui, on pouvait discuter, parce qu'il vous écoutait. Son opinion n'était pas forgée d'avance. Morton me promit de parler de l'affaire au gouverneur Adams...

La voix de O'Toole devint plus amère.

– Apparemment, ça ne suffisait pas. Six mois passèrent. Je commençais à croire qu'il nous avait oubliés, lorsqu'il me contacta, il y a quelques semaines, avec ce projet d'enlèvement.

– Vous n'auriez jamais dû vous laisser convaincre. Morton vous a manipulé. Il est très doué pour ça.

– Nous pouvons obtenir, chacun de notre côté, ce que nous voulons.

– Il aura sa publicité, quoi qu'il arrive, mais vous, vous risquez de finir en prison. O'Toole, avec Ernie et les autres.

– L'affaire n'ira jamais devant les tribunaux. Il me l'a garanti.

– Morton n'est pas Dieu le père. Je ne vois pas très bien comment il pourrait empêcher la justice de suivre son cours.

– Il suffirait que le gouverneur Adams le décide, je suppose.

– Vous n'avez pas l'air de vous habituer à cette idée, O'Toole, mais vous avez commis un crime. Aucun membre du gouvernement des États-Unis ne prendra jamais le risque d'encourager ce genre de procédé. Vous serez au contraire condamné plus durement que ne l'exige la loi, pour l'exemple, comme on dit.

Randa sentit qu'elle était convaincante, ou du moins, que l'Indien l'écoutait attentivement. Elle en profita.

– Quant à Morton, il est évident qu'il ne prendra pas le risque de vous couvrir. Au contraire. Je suis sûre qu'il niera vous avoir rencontré avant l'enlèvement. Et si on vous a vus ensemble, quelque part, il saura retourner la situation à son avantage. Il est très doué pour ça, vous savez. Ce sera sa parole contre la vôtre. Les juges n'hésiteront pas entre celle d'un accusé et celle d'un membre du gouvernement. Si vous vous imaginez le contraire, vous vous faites des illusions, O'Toole.

– De quel côté serez-vous, à ce moment-là? assena l'Indien d'une voix menaçante.

– Si j'étais à la place des juges, je vous jetterais tous les deux en prison, vous et Morton. Vous êtes aussi fous l'un que l'autre, et par conséquent, aussi dangereux. Morton ne vaudrait pas mieux à mes yeux que celui qu'il a trahi.

A ces mots, l'Indien bondit de sa chaise, qui s'écrasa au sol avec un bruit sec.

– Morton n'a trahi que vous, pour l'instant, rugit-il. C'est ce qui vous reste en travers de la gorge, d'ailleurs. Croyez-vous que ça ne se voit pas comme le nez au milieu de la figure? J'ajouterai que vous vous trompez sur Morton. Il adore son fils. Et s'il sait que nous ne lui ferons pas de mal, il ignore en revanche où nous sommes. Morton respectera les termes du contrat. Je ne dis pas que c'est un ange, mais il n'est pas aussi lâche que vous le prétendez. C'est un homme qui vous regarde droit dans les yeux.

– Parce qu'il se prend pour un dieu, acheva Randa, qui s'était levée elle aussi pour ne pas se sentir écrasée par la présence de l'Indien. Votre erreur la plus grave, O'Toole, c'est de croire qu'il aime son fils. Il ne l'aime pas, parce qu'il n'aime que lui-même. Il serait incapable de lui sacrifier sa carrière, ou même un simple avancement. D'ailleurs, réfléchissez! S'il l'aimait vraiment, se serait-il servi de lui de cette façon odieuse? L'aurait-il marchandé contre une photographie en première page des journaux? Ayez le courage de voir les choses en face, O'Toole. Si Morton est capable d'utiliser de cette façon son propre fils, je vous laisse le soin d'imaginer ce qui se passera, quand il n'aura plus besoin de vous. Vous n'êtes qu'un pion dans son jeu électoral. Il craignait d'être battu aux prochaines élections. L'enlèvement est le truc rêvé pour faire remonter sa cote d'amour. Les gens ne résisteront pas à un père éploré clamant partout qu'il fera l'impossible pour sauver son fils et améliorer, du même coup, le sort d'une poignée d'Indiens alcooliques.

Randa soupira d'amertume et de dégoût.

— Sans compter qu'il ne manquera pas de rappeler au public que nous sommes divorcés, et que tout est de ma faute. Que je n'ai pas été assez prudente, et tutti quanti... Avez-vous au moins décidé combien de temps tout ça allait durer? demanda-t-elle enfin.

— Oui, deux semaines. Nous voulions que nos enfants puissent regagner l'école avec les autres. Si l'affaire n'est pas réglée d'ici là, ce ne sera pas possible, évidemment.

— Deux semaines! s'exclama Randa. Deux semaines de publicité à faire pâlir d'envie toutes les starlettes d'Hollywood et de Navarre! Dans le genre bourrage de crâne, on ne fait pas mieux, vraiment.

Debout, l'un en face de l'autre, ils observaient, comme deux samouraïs attendant la moindre erreur de l'adversaire pour porter le coup fatal.

— Il se sert de nous, Hawk, dit-elle enfin, d'une voix presque tendre en même temps que plaintive. Il ne faut pas le laisser gagner. La seule chose à faire, c'est de descendre à Chicago, tous les trois. Je veux dire, vous, Scott et moi, et de tout expliquer à la police. Vous serez bien plus crédible si vous le devancez, si vous vous rendez maintenant. J'abonderai dans votre sens. Je raconterai comment Morton nous a incités à faire cette promenade en train. A la limite, les gens comprendront peut-être combien la réouverture de la mine est importante pour vous. Ça peut très bien marcher, je vous assure.

L'Indien ne cilla pas. Son visage fermé équivalait au plus catégorique des refus. Randa baissa les épaules. Elle comprit qu'en insistant elle ne contribuerait qu'à augmenter sa colère et son ressentiment.

— Enfin..., les journaux de la semaine vous feront peut-être changer d'avis, conclut-elle. Je doute que Morton prenne votre défense, comme il vous l'a promis. Vous verrez... Quand je vous disait que vous n'étiez ni assez intelligent, ni assez sage pour être un bon chef...

Randa, qui était à bout de nerfs, commit l'erreur de rire au nez de son geôlier. L'Indien la saisit violemment aux épaules, puis par la tête, comme s'il allait l'embrasser.

— N'abusez pas de votre bonne étoile, mademoiselle Price, menaça-t-il. Je suis sûr que Morton se moque éperdument de ce qui pourrait vous arriver ici.

Randa sentit sur son visage l'haleine de Hawk O'Toole. Elle frémit sous ses grandes mains brûlantes, prêtes à lui broyer le crâne. La colère augmentait la force de son regard. Mais Randa commençait à le connaître. Elle savait que le guerrier côtoyait en lui un homme profondément respectueux de la vie, et pour des femmes, comme le prouvait son comportement vis-à-vis d'Aube Janvier. Elle réalisa aussi qu'il la traitait brutalement parce qu'il voulait se persuader qu'il restait maître de la situation, et continuer à croire que l'enlèvement serait, pour son peuple, une bénédiction.

– Hawk O'Toole, dit-elle d'une voix qui s'efforçait d'être calme, je sais que vous ne nous tuerez pas, ni Scott ni moi. Je n'ai plus peur de vous.

– Je ne le tuerai pas, non, mais je vous renverrai à Chicago et je le garderai avec moi. Nous partirons ensemble dans la montagne. Et ne croyez pas qu'il sera malheureux, car il adore cette vie. En quelques mois, j'en ferai un vrai guerrier. Il vous haïra vite, vous savez.

– Vous mentez. De toute façon, ils finiront par vous retrouver.

– Sans doute, mais ça leur prendra peut-être des années pour ratisser les Rocheuses. Sans compter que le monde est grand. Tous les jours, des milliers de bateaux quittent les États-Unis par le Pacifique. Vous ne le reverrez jamais. Alors, vous feriez mieux de prier pour que Morton tienne parole.

C'était vrai que Randa n'avait plus peur de lui, ni pour sa vie, ni pour celle de Scott. Mais cette nouvelle menace l'anéantissait. Elle s'en voulait d'avoir contraint l'Indien à émettre de telles hypothèses.

– Vous ne ferez pas ça non plus, bégaya-t-elle. Scott est... mon fils. Je n'ai que lui au monde.

– Vous auriez dû méditer là-dessus, à Chicago,

les nuits de pleine lune, ironisa l'Indien. Ça vous aurait peut-être évité de vous traîner dans le lit des amis de Morton.

Blessée dans son orgueil, meurtrie dans son corps, Randa trouva soudain la force de se dégager, comme on trouve la force de se réveiller d'un mauvais rêve.

– C'est faux! hurla-t-elle. C'est la presse qui a inventé toutes ces histoires.

– Vous pourriez me le jurer? demanda O'Toole d'une voix plus calme, presque ennuyée.

– Oui!

Alors, une petite voix les rappela à l'essentiel, à tout ce dont ils n'osaient pas parler encore, à ce qui faisait taire entre eux tous les antagonismes, et les réconciliait profondément, malgré toutes leurs querelles de surface:

– Maman?

8

ERNIE se tenait derrière Scott, comme une ombre, à l'entrée de la cabane. Il dévisageait Hawk avec une certaine inquiétude. Scott, de son côté, n'avait d'yeux que pour sa mère. Il courut vers elle et se blottit dans ses jupes. Randa essaya de sourire. Elle souhaita que son fils n'ait pas entendu la fin de la conversation, ou du moins qu'il ne l'ait pas comprise.

– Ça va, mon poussin?

Elle prit Scott dans ses bras, l'embrassa sur le front. Il sentait bon la forêt. Des débris de feuilles mortes et d'aiguilles de sapin parsemaient d'étoiles sombres ses cheveux blonds comme les blés.

– M'man, tu sais quoi? dit-il en ouvrant ses grands yeux clairs. Ernie m'a emmené à la chasse avec Donny!

– A la chasse? s'inquiéta la jeune femme qui recoiffait son fils avec des gestes tendres. Avec des fusils?

– Non, Hawk n'a pas voulu qu'on se serve des fusils, mais on a tendu des pièges, et on a attrapé des lapins avec...

– Des lapins? Les pauvres petits...

– Oh, on les a relâchés! Ils étaient trop petits. Ernie a dit qu'il fallait les laisser grandir. Il sait beaucoup de choses, tu sais!

– Il doit en tout cas en savoir plus que toi sur la chasse aux lapins, se détendit Randa.

– Il sait tout! rétorqua Scott en dédiant un sourire au vieil Indien. Au moins autant que Hawk. Dis, m'man, tu savais que Hawk est un peu comme un prince ou un président, ici?

Scott baissa la voix, pour ajouter, sur le ton de la confidence:

– C'est quelqu'un de très important, tu sais...

Randa ne fit aucun commentaire. Elle n'avait pas du tout envie de discuter des mérites de Hawk O'Toole.

– Qu'est-ce que tu as fait d'autre, aujourd'hui? Tu as bien mangé, à midi?

– Des sandwiches à la tomate, comme en Italie, répondit-il d'un air absent en se tournant vers Hawk. Léta avait fait un cake, avec une crème à la vanille. Il était drôlement bon, bien meilleur que le tien, m'man! Tu devrais peut-être lui demander comment elle fait, à Léta. Et toi, qu'est-ce que tu as fait, aujourd'hui? Ernie m'a dit que Hawk avait besoin de toi, que tu étais dans la cabane avec lui.

– Eh bien oui, je... j'ai été très occupée, moi aussi. Mais ça ne t'intéressera pas si je te le raconte...

– Tu n'as pas joué à des jeux, avec lui?

– A des jeux?

– Oui, comme ce matin, tu sais bien.

Randa gratifia l'Indien d'un regard rancunier.

– Non, mon poussin!

Scott se pencha vers l'oreille de Randa.

– M'man, j'ai un secret à te dire, chuchota-t-il en roulant de gros yeux inquiets.

Randa s'alarma aussitôt, persuadée que son fils avait subi quelque mauvais traitement par sa faute.

– Je t'écoute, mon chéri!

Scott hésita un moment avant de parler, puis murmura, du bout des lèvres:

– Je crois que Hawk n'a pas du tout aimé notre jeu, tu sais! Il fait la tête depuis ce matin. Ernie et Léta disent que c'est à cause de ce qu'on a fait. Ils disent qu'il est de mauvaise humeur parce qu'on n'a pas respecté les règles du jeu, qu'il ne faut surtout pas recommencer. Je sais que ça t'a bien plu, m'man, mais il vaut peut-être mieux faire ce qu'ils disent. Hawk me fait peur quand il est en colère. Je n'aime pas le voir comme ça. On dirait qu'il est malade.

Randa ravala sa colère car, d'un autre côté, elle était soulagée par cette révélation anodine, et reconnaissante à Ernie et Léta de ne pas l'avoir trahie. Elle était également inquiète de voir son fils faire un tel cas des états d'âme de l'Indien. C'était d'autant plus inquiétant que Scott n'avait jamais pris très au sérieux les colères de Morton. Hawk exerçait donc une sorte de fascination sur lui, ce qui aggravait ses menaces de disparaître avec Scott au bout du monde.

– On ne recommencera pas, c'est promis, mon poussin! N'y pense plus, va!

Randa serra plus tendrement son fils contre elle, comme les mères embrassent un enfant qui part à la guerre ou pour un long voyage.

— Je t'aime, tu sais, Scott.

— Moi aussi, m'man!

Mais comme s'il reniait aussitôt les mots que venaient de prononcer ses lèvres, Scott se libéra de l'étreinte maternelle, qui lui avait pourtant manquée, l'après-midi durant. Il avait eu sa ration de tendresse et de douce inquiétude. Inconscient de son ingratitude, il ne songeait plus qu'à rejoindre ses amis et sa nouvelle vie, si aventureuse, et qu'il aimait tant.

— Donny m'attend, dit-il seulement. On va faire du pop-corn, avec Léta. Ils m'ont aussi invité à dormir chez eux. Ernie a dit que tu voudrais bien, et que tu dormiras avec Hawk, ici.

— C'est vrai. Ne t'en fais pas pour moi, trésor...

— Oh, je ne m'en fais pas, m'man! Même, je trouve ça bien que tu te sois fait un ami qui t'invite à dormir, la nuit. Vous allez faire comme les papas et les mamans, à la télé, dis?

Randa eut un regard pour l'Indien qui la fixait comme un oiseau de proie patient.

— Non, nous ne dormirons pas dans le même lit, Scott!

— Parce que vous n'êtes pas vraiment comme un papa et une maman?

— C'est ça, mon poussin. Allez file, maintenant...

— B'soir, m'man!

Il embrassa sa mère rapidement, comme pour se débarrasser au plus vite d'une corvée obligatoire, ne se retournant vers l'Indien qu'avant de sortir.

– B'soir, Hawk!

Ernie fixa un moment son ami droit dans les yeux, puis il disparut à son tour, sans avoir dit un mot. Hawk et Randa restèrent seuls, face à face, dans le silence.

– Vous préférez mon lit ou le plancher? demanda-t-il enfin, en fourrant ses grandes mains dans les poches de son jean.

– Le plancher.

Il parut absolument indifférent au choix de Randa, récupéra les lanières de cuir qui gisaient sur le lit, et attacha derrière le dos les poignets de sa prisonnière.

– Je n'essaierai pas de fuir une seconde fois, plaida-t-elle. Je vous en donne ma parole, O'Toole.

– Malheureusement, votre parole ne vaut rien.

– Vous savez très bien que je ne partirai pas sans Scott.

– Ce qui ne vous empêchera pas de m'égorger avec plaisir, cette nuit, avec le couteau que j'avais offert à Scott, le premier soir, et que vous venez de lui dérober.

Randa rougit de honte. L'Indien plongea une main dans la jupe de la jeune femme dont il extirpa le petit couteau luisant à manche d'ivoire. Randa pensait qu'il ne s'était aperçu de rien. Lorsqu'elle avait tenu Scott dans ses bras et senti sous ses doigts l'arme tentatrice, elle avait cru à un cadeau du ciel, ce qui ne se refusait pas.

– Ces tentatives d'évasion commencent à devenir lassantes, mademoiselle Price!

– Épargnez-moi vos leçons de morale, O'Toole! Vous savez très bien que ça ne nous mène nulle part. Je veux bien changer de tactique, à condition que vous fassiez de même. J'ai compris que vous étiez le «grand chef», inutile d'insister là-dessus, j'ai mon compte.

Randa redressa les épaules et tâcha de paraître aussi digne qu'on pouvait l'être avec les mains attachées dans le dos.

– Couchez-vous par terre, exigea-t-il.

Randa s'exécuta. Elle était trop épuisée pour continuer à se rebeller par principe, ce qui ne servait de toute façon à rien, sinon à rendre ses jours au campement de plus en plus inconfortables. L'Indien l'attacha solidement au pied du lit, lui jeta une couverture, comme on aurait fait à un chien.

– Je reviendrai, dit-il, avant de la laisser seule, sur le sol glacé, dans l'obscurité complète.

Une heure plus tard, Randa se demandait toujours ce qu'il pouvait bien faire. Peut-être discutait-il avec Ernie autour du feu, en fumant la pipe? A moins que les hommes ne se soient réunis pour décider d'une nouvelle stratégie? A moins encore qu'il ne soit allé rejoindre la belle Aube Janvier?

Cette dernière possibilité lui parut la plus probable. Randa imagina deux corps enlacés dans la nuit, rougeoyantes près des flammes d'un feu réconfortant, l'un tout en muscle et l'autre ondoyant, qui se mouvaient au rythme mystérieux de la nuit. Elle imagina les traits virils de Hawk O'Toole adoucis par le plaisir, et le beau visage d'Aube Janvier, aux yeux agrandis par l'amour.

Puis elle revit l'Indien penché sur elle, ses lèvres entrouvertes et souriantes. Elle se souvint de sa puissante étreinte, et frémit de désir à l'idée qu'il pouvait surgir et la reprendre dans ses bras, avec cette fougue de jeune homme passionné qui lui échappait toujours avec des mots câlins. Des mots qui contrastaient avec sa froideur habituelle, et que chassait bientôt, dans ses yeux, l'implacable regard du guerrier, d'un homme qui avait peut-être souffert, et qui n'attendait plus grand-chose de la vie.

Randa était si bien perdue dans son rêve qu'elle fut surprise d'entendre l'Indien rentrer. Elle fit mine de dormir lorsqu'il s'approcha et l'éclaira avec sa lanterne. Sans doute ne vit-il pas les joues colorées de sa prisonnière, car il ne dit pas un mot, ni ne la toucha. Randa l'entendit ôter ses bottes, enlever sa ceinture et se dévêtir. Sa chemise et son jean heurtèrent le sol avec un bruit mat. Il se coucha. Longtemps, Randa attendit qu'une respiration longue et régulière monte dans la cabane redevenue obscure. Mais rien de tel ne se produisit et, à force d'attendre, ce fut elle qui s'endormit la première.

Quelques heures plus tard, vers la fin de la nuit, elle se réveilla et le découvrit accroupi devant elle. Sa présence et son ombre la firent se retourner comme sur un pressant danger. La lune s'était levée. Son obscure clarté révélait, en bleu, les muscles de l'Indien, et donnait à ses yeux clairs un éclat surnaturel.

– Vous claquez des dents, dit-il.

Il lui jeta sa couverture. Randa reçut l'étoffe laineuse comme une caresse. Elle était gorgée de chaleur masculine. Randa sentit cette chaleur bienfaisante se propager aussitôt dans ses membres glacés. L'Indien regagna son lit, sans rien ajouter d'autre.

Randa garda longtemps les yeux ouverts sur le clair de lune. Elle avait vu aller et venir les biceps de l'Indien, les muscles de ses cuisses et de ses avant-bras, et la peau glabre de son torse tendue sur ses pectoraux comme celle d'un tam-tam en cuir de biche. Elle avait vu ses abdominaux bandés. Puis ses yeux avaient suivi la ligne pileuse qui partait du nombril et grandissait en triangle vers le bas.

Elle revit cent fois ce qui s'était passé. Hawk O'Toole l'avait observée, nu, magnifiquement, sauvagement, complètement nu.

Les journaux de la semaine arrivèrent le lendemain. Les hommes s'étaient réunis dans la cabane de l'Indien. Assistée de Léta, Randa servait le café. Elle aurait dû être inquiète quant à ce qui allait se passer, puisqu'on déciderait peut-être de son sort et de celui de Scott. Mais elle était si contente d'évoluer à son aise, après avoir été attachée pendant plus de vingt-quatre heures, qu'elle n'avait pas encore perçu l'angoisse ambiante, due à l'attente insupportable des nouvelles.

D'ailleurs, Hawk la regardait si peu qu'elle aurait aussi bien pu être invisible. La nuit avait créé entre eux une sorte de complicité dont ils ne voulaient pas. Leurs regards s'évitaient comme s'ils étaient l'un pour l'autre un piège.

Le jeune homme qu'on avait envoyé à la ville, ce qui représentait un voyage de plus de cinq cents kilomètres, rentra à l'heure dite, une moue de reproche affichée sur son visage fatigué. Sans un mot, il jeta les journaux sur la table, devant Hawk, qui les distribua calmement, un à un.

Randa aperçut plusieurs photos d'elle et de Scott, en première page. Dans tous les autres cas, c'était Morton qui faisait la une. Hagard mais toujours élégant, il paraissait jouer son rôle à la perfection. Randa le soupçonna d'user de procédés plus ou moins surnaturels pour entretenir son magnétisme, car même de loin, sa photo attirait. Ce qu'il avait fait à Randa et à Scott prouvait d'ailleurs que les scrupules ne l'étouffaient pas. Et s'il avait été capable de marchander ainsi le sort de sa propre famille, on pouvait raisonnablement l'estimer capable du pire.

On lui tendit un exemplaire. Randa lut. La cote de Morton remontait à vue d'œil. Les experts le donnaient gagnant pour la prochaine élection. Les autres candidats avaient bien sûr émis l'hypothèse d'un coup monté, mais ils étaient sévèrement jugés par la presse, qui ne faisaient jamais que rendre compte de l'opinion générale.

Autour de la table du conseil, des rumeurs et des grognements sourds montaient comme des reproches, comme des menaces. Il y avait de l'électricité dans l'air. Randa comprit que l'orage ne tarderait pas à éclater. Ernie ne disait rien, mais il observait Hawk et ses compagnons avec une inquiétude croissante. Un des hommes se leva avec un juron, et se dirigea vers la fenêtre, les mains dans les poches. Scott, qui jouait dehors avec Donny, lâcha son ballon. Il avait senti peser sur ses épaules le regard menaçant du jeune Indien. Randa en fut bouleversée.

Elle regarda Hawk. Ses poings serrés reposaient sur la table, de chaque côté du *Time*. Ses sourcils formaient un V coléreux au-dessus de son nez. Une sourde rage émanait de tout son corps.

— Chienne de vie! grogna-t-il dans sa barbe.

— Il y a peut-être autre chose, à l'intérieur, rétorqua Ernie. Des détails nous auront peut-être échappé...

— Même si tu avais raison, ce ne seraient que des détails! s'exclama le jeune homme debout devant la fenêtre.

— Et de toute façon, il n'y en a pas! ajouta celui qui avait apporté les journaux. J'ai tout lu, en route.

— Morton ne parle même pas de nous! dit un autre.

— Si, mais il dit que l'enlèvement est un « acte criminel injustifiable », ajouta un ancien, qui ne disait jamais un mot de trop, ni plus haut que l'autre. L'homme ne tiendra pas parole.

Peu à peu, chacun y alla de son commentaire. En dernier, les moins courageux se rallièrent à l'avis des aînés, et râlèrent à leur tour. Lorsque le calme fut retombé sur la petite assemblée, Hawk, qui n'avait rien dit, leva les yeux sur la prisonnière, puis balaya ses hommes d'un regard autoritaire.

— Qu'on me laisse seul avec elle! déclara-t-il d'une voix monocorde, les yeux dans le vide.

Les hommes se levèrent un à un. Personne ne discuta la décision de O'Toole. Malgré les circonstances, il restait le chef incontesté des Styrox. On lui obéissait au doigt et à l'œil. Randa s'en rendit compte, une fois de plus. Ernie fut le seul à se manifester :

— Ne décide rien qui ne soit mûrement réfléchi, mon fils, dit-il avec douceur. De ce que nous allons faire maintenant dépend l'avenir de tous. Je sais que tu en es conscient, mais la colère n'est pas bonne conseillère. Les conséquences d'un acte irraisonné pourraient nous coûter bien plus que la vie...

— Au diable les conséquences! rugit l'Indien. Peut-être ne suis-je pas assez sage. Certains le pensent, ici, mais toi, tu l'es trop! Maintenant, il faut agir. Laisse-nous seuls.

Le vieil homme se retira, non sans avoir prié, du regard, son ami de ne commettre aucune erreur irréparable. La cabane redevint silencieuse. On entendait jouer les enfants au dehors. Un chien aboya. Les femmes demandaient des détails sur l'issue du conseil. Un cheval se cabra sur la route. Le moteur d'un camion vrombit.

Hawk O'Toole se leva. Il sortit de son gilet un long couteau, aussi effilé qu'un rasoir de barbier. Puis fit quelques pas vers sa prisonnière.

– Enlevez votre chemisier, lui intima-t-il.

Randa ne fit ni ne dit rien. Elle n'osait même plus respirer.

– Enlevez ça!

Comme elle refusait toujours d'obéir, il la prit par le bras et brandit son couteau. Quelques coups efficaces suffirent à réduire le chemisier en lambeaux. Randa se retrouva nue devant lui. Elle se couvrit les seins en croisant pitoyablement les bras sur la poitrine. L'Indien brandit à nouveau son arme. Randa poussa un cri strident, de pure terreur, à réveiller les morts.

Nullement impressionné, O'Toole la contraignit à ouvrir sa main tout grand, en lui broyant le poignet. Puis il donna un coup sec, dans le gras du pouce. Le sang se mit à couler. Randa blêmit encore.

– Vous êtes cinglé! s'exclama-t-elle, avec l'énergie du désespoir. Ça ne vous avancera à rien de me couper en morceaux...

l'Indien tamponna la blessure avec le chemisier lacéré. L'étoffe se couvrit de sang rouge et frais; A voir le tissu ensanglanté, on aurait cru qu'un crime épouvantable venait d'être commis.

– On va leur envoyer ça, expliqua-t-il. Ça leur rafraîchira peut-être la mémoire. Ils analyseront votre sang, bien sûr.

Randa poussa un cri. L'Indien la tenait toujours par le bras. Ses yeux tombèrent sur les seins nus de la jeune femme, qui paraissaient fragiles et précieux, dans ce carnage. Son expression changea du tout au tout.

– Qu'avez-vous? demanda-t-il, comme si elle avait été tout pour lui.

– C'est mon bras, expliqua-t-elle d'une voix qui demandait grâce. Je n'ai pas l'habitude de dormir par terre, comme ça. Et puis, j'ai attrapé froid, avant que... avant que vous ne me donniez votre couverture. Je suis pleine de courbatures. Oh, là, là, et mon pouce qui saigne, je vous jure...

O'Toole ôta sa propre chemise et la lui tendit. Randa l'enfila et se nicha dans la flanelle noire, toute chaude. Torse nu, beau comme un dieu, l'Indien ne disait rien mais son regard demandait pardon.

Toujours en silence, il prit le pouce ensanglanté de Randa et le porta à ses lèvres en la regardant droit dans les yeux.

– Il n'y a pas de meilleur antiseptique, sourit-il. Vous ne le saviez pas? Vous préférez sans doute le mercurochrome? On en a, si vous voulez...

Ils se dévisagèrent un long moment. C'était comme s'ils venaient de faire la paix, et de sceller ce traité tacite par le goût du sang versé. Randa, malgré sa terreur, eut envie de se blottir contre l'Indien, contre ce torse nu qui l'avait déjà fait rêver, la nuit précédente.

– Vous savez, on dirait que Morton n'est pas du tout pressé de vous voir, dit-il ensuite.

— Je vous avais dit que ça ne compterait pas, pour lui.

— Il parle tout de même un peu de Scott.

— Oui, parce que c'est ce que le public attend de lui.

— Évidemment, il ne parle pas du tout de la mine; vous aviez raison.

Il banda ses muscles et donna un coup de poing terrible dans la paroi de la cabane; puis un autre. Et un troisième. Randa crut qu'il allait pleurer.

— Écoutez, Hawk, j'aimerais vraiment que vous réussissiez à convaincre le gouverneur, mais n'envoyez pas ce chemisier par la poste. C'est trop dangereux. C'est même stupide. Ça va monter l'opinion publique contre vous. En tout cas, ça fera beaucoup plus de mal que de bien...

Hawk O'Toole ouvrit une armoire dont il tira une chemise de velours rouge, à carreaux noirs. Sans un mot, il l'enfila, puis saisit le chemisier ensanglanté et laissa Randa seule avec ses conseils.

— Il n'a pas eu le vie facile. C'est pour ça qu'il paraît si dur, quelquefois, dit Léta à Randa, d'un air solennel. Mais au fond, je crois que c'est un tendre. Bien sûr, il ne veut pas le montrer. Sans doute estime-t-il que c'est en contradiction avec sa position de chef. Il prend ce rôle très au sérieux, vous savez...

Randa le savait. Elle ne le savait même que trop. Elle avait été étonnée qu'il la laissât seule dans la cabane, après la scène du chemisier. Mais elle était vite revenue de sa surprise. L'Indien avait envoyé Léta soigner le pouce ensanglanté, un peu plus sérieusement qu'il ne l'avait fait lui-même. Les deux femmes épluchaient maintenant des légumes pour un ragoût, sur la grande table qui avait servi au conseil, moins d'une heure plus tôt.

Randa se réjouissait que la conversation ait naturellement, graduellement, porté sur Hawk. Elle aurait aimé apprendre le maximum de choses sur lui, mais sans avoir à poser de questions trop directes. Léta, qui se révélait bavarde, lui facilita beaucoup la tâche.

— Franchement, Léta, je vous avoue que je n'ai pas eu vraiment l'occasion de me rendre compte de sa douceur.

— C'est parce que vous vous êtes fiée aux apparences. Ce n'est pas un reproche, vous savez; tout le monde est comme ça avec lui. Mais tenez, par exemple, il ne s'est pas encore consolé de la mort de sa mère, ni de celle de son petit frère, mort-né. Son grand-père lui manque aussi. Il m'en parle de temps en temps.

— Si j'ai bien compris, c'est la seule influence positive qui l'ait touché, quand il était adolescent, non?

— Oui, mais ça n'a pas été la même chose, avec son père. Ils se battaient presque, tous les deux. Je suis trop jeune pour m'en rappeler, mais Ernie m'a raconté que le jour de la mort de son père, Hawk n'a pas versé une seule larme.

Elle compta le nombre de carottes épluchées, qui flottaient comme des poissons morts dans le bassin d'eau fraîche, puis s'attaqua aux navets. Randa, de son côté, passa des pommes de terre aux patates douces.

– L'aîné des fils d'Ernie a le même âge que Hawk. Ils jouaient ensemble au football, à l'université.

– A l'université?

– Ils ont tous les deux fait une grande école d'ingénieurs. Denis est ingénieur des Ponts et Chaussées, Hawk, ingénieur des Mines. Hawk est revenu dans la réserve à la mort de son grand-père. Il a abandonné une belle carrière en ville. Je crois même qu'il gagnait déjà beaucoup d'argent, là-bas.

Randa en oublia d'éplucher ses patates douces.

– S'il avait déjà une bonne situation en ville, il devait avoir une sérieuse raison de revenir ici, non?

– Je crois que c'est à cause de son père, et de la mine.

– De son père et de la mine?

– Je ne connais pas toute l'histoire, mais le père de Hawk dirigeait la mine, dans le temps, et la mine appartenait aux Styrox. Mais le père de Hawk n'était pas à la hauteur. Il buvait beaucoup. Un jour d'ivresse, il s'est laissé convaincre par quelques hommes d'affaires de Chicago. Ça n'a pas été une bonne tractation pour nous.

Randa ne voulut pas montrer qu'elle mourait d'envie d'en savoir plus. Machinalement, elle s'humecta quand même les lèvres d'impatience.

126

— Vous voulez dire qu'il a vendu la mine, Léta?

— Oui, presque. Il la leur a louée pour cent ans et un jour. Ça revient au même. C'était notre seule richesse. Tout le monde en a voulu au père de Hawk. Même aujourd'hui, on en parle encore.

Randa sourit. Ce qu'elle venait d'apprendre expliquait bien des choses. L'Indien portait sur ses épaules le poids de la monumentale erreur de son père, dont il avait hérité comme d'un château, ou d'une maladie. Il devait donc chercher, par tous les moyens, à réparer le mal commis. Avec son diplôme d'ingénieur et ses qualités de meneur d'hommes, il aurait pu diriger n'importe qu'elle mine, dans le monde entier. Or, sa culpabilité, cette vieille dette à régler qu'il tenait de son père, l'avait ramené à la réserve.

— Ernie se fait du souci pour Hawk, reprit Léta. Il dit qu'il faudrait qu'il se marie, et qu'il ait des enfants. Il dit que ça le sauverait. Que sinon, il va mourir d'une maladie qu'il se sera fabriquée lui-même, à force de remuer ses idées noires toute la sainte journée. Ernie dit qu'il doit se sentir seul. Il dit que la solitude n'est pas bonne pour un beau garçon comme lui, qu'il va devenir triste et amer. On ne voudra plus de lui comme chef, ici, ni comme ingénieur, à la ville, parce qu'il aura perdu ce qui faisait sa force. Il pourrait choisir une femme de la tribu, qui ne soit pas encore mariée. Il en y a quelques unes. Elles sont toutes jolies, et elles l'aiment toutes beaucoup, à commencer par Aude Janvier, mais il ne veut pas.

— Et comment fait-il quand il a envie de...? Enfin... quand... vous savez bien...

– Quand il a envie d'une femme de la façon dont vous parlez, expliqua Léta à voix basse, il descend en ville pour quelques jours.

– Souvent?

– Plusieurs fois par mois.

– Je vois...

– Quelquefois, il reste une semaine. Ça dépend. Mais ça ne dure jamais davantage. Il ne veut pas non plus choisir une femme blanche. Il l'a dit à Ernie.

– Et puis ce genre de femme vénale ne lui donnera pas d'enfants.

– Il a dit à Ernie qu'il ne voulait jamais en avoir.

– Pourquoi?

– Ernie pense qu'il a un souvenir affreux de la mort de sa mère. Vous savez comment elle est morte?

– Oui, Hawk m'en a parlé.

– Ah? C'est étonnant, ça. Il faut qu'il vous aime bien.

– Vous vous trompez, Léta. C'est venu comme ça, dans la conversation.

La jeune Indienne demeura silencieuse. Elle se concentra sur ses navets, qu'elle brossait avec une sorte de tendresse, comme s'ils avaient pu souffrir du traitement qu'elle leur faisait subir.

– Vous savez, Randa, dit-elle ensuite, je suis enceinte...

– Léta! Mais c'est formidable! Vous en avez parlé à Ernie, bien sûr?

– Oui, hier soir.

— Je suis contente pour vous, Léta, et pour Ernie. Comment a-t-il réagi?

Léta rit de bon cœur. Elle était heureuse.

— Il est déjà grand-père, mais il est aussi fier de son petit dernier que s'il venait d'avoir dix-huit ans.

La jeune femme caressa son ventre encore plat. L'idée qu'un être s'élaborait en elle à chaque seconde lui semblait plus mystérieuse que la beauté inimaginable des paradis indiens. Elle avait du mal à y croire, et savait pourtant qu'il n'y avait rien de plus réel au monde.

Son expression douce l'embellissait. Randa était heureuse pour elle, un peu jalouse, aussi. Sa vie près d'Ernie semblait merveilleuse et si simple! Bien sûr, Ernie s'était rendu complice d'un crime. La police pouvait aussi bien l'arrêter et le jeter en prison. Pour rien au monde Randa n'aurait cependant voulu ombrager les jours de sa nouvelle amie. Aussi garda-t-elle le silence.

Un moment après, Scott et Donny débarquèrent dans la cabane, car ils avaient faim. Leurs mères leur firent de délicieux sandwiches, qu'ils dégustèrent avec de grands verres de lait frais.

— J'ai bien aimé dormir avec Donny, tu sais, m'man! Ernie nous a raconté des histoires de fantômes. Des histoires indiennes! Et toi, ça t'a plu de dormir avec Hawk?

Oui, mon poussin.

— Hawk m'a dit qu'il m'emmènerait faire une promenade à cheval, après manger. Il voudrait aussi que tu lui fasses un bon sandwich. C'est moi qui lui apporterai, il me l'a demandé.

Randa eut envie d'envoyer Scott expliquer à l'Indien qu'elle n'était pas sa squaw, et qu'il n'avait qu'à se préparer ses sandwiches lui-même. Mais elle ne voulait pas mêler Scott à une querelle sans importance, comme O'Toole l'espérait probablement. Aussi confectionna-t-elle deux sandwiches au lieu d'un, qu'elle enveloppa dans du papier et qu'elle tendit à Scott, avec mille recommandations tendres.

Scott jura d'être prudent à cheval, puis il disparut avec Donny. Randa sourit. Lui, au moins, il ne souffrait pas trop d'être prisonnier. Il n'aurait pas été moins heureux en vacances! Une sourde inquiétude demeurait cependant sur le visage de Randa, que Léta sentit très bien.

— Ne vous en faites pas pour Scott, dit-elle avec douceur. Il ne lui arrivera rien, ici. Hawk s'occupe bien de lui. Je suis sûre qu'il ne lui fera pas de mal.

— Vous avez raison, Léta. Tant que je reste tranquille, tant que je coopère, il ne peut rien lui arriver. Et j'ai bien l'intention que les choses se passent le mieux possible, maintenant. Vous pouvez rentrer chez vous, Léta. Vous avez sûrement autre chose à faire que de vous occuper de moi comme ça! Je resterai ici.

— Vous avez quand même essayé de vous échapper, ce matin.

— Je ne recommencerai pas.

— Vous auriez dû vous douter que Hawk n'aurait aucun mal à vous retrouver.

— Vous avez sûrement raison, Léta, mais il fallait que j'essaie. Je suis comme ça!

– Même si vous aviez réussi, le désert est si grand que vous auriez pu vous perdre. Moi j'aurais préféré rester sous la protection de Hawk, plutôt que de me retrouver toute seule, comme ça, dans la montagne.

La naïve remarque de Léta troubla la prisonnière. Le matin même, elle aurait voulu fuir l'Indien jusqu'au bout du monde, mais depuis quelques heures, vivre sous sa protection lui semblait presque un sort enviable! pourquoi ce changement?

Elle avait besoin d'être seule pour y réfléchir. Comme elle était en plus très fatiguée par sa nuit, elle pressa Léta de retourner à ses mille occupations d'épouse et de mère de famille.

Lorsqu'elle fut seule, Randa se rua sur le lit de Hawk O'Toole et se blottit sous les couvertures. Si l'Indien rentrait à l'improviste, et n'appréciait pas de la trouver endormie dans son lit, eh bien, ce serait du pareil au même! Il était grand temps de lui apprendre les bonnes manières!

Après tout, c'était sa faute si elle tombait de sommeil, à une heure de l'après-midi! Premièrement, il l'avait obligée à se coucher par terre, attachée comme un chien. Deuxièmement, il l'avait laissée mourir de froid jusqu'au milieu de la nuit. Et troisièmement, il était apparu devant elle complètement nu, vision qui aurait pu perturber pour des années, et à juste titre, les nuits d'une vraie jeune fille.

Et sur ce délicieux souvenir, dont elle ne se lassait pas, Randa sombra dans un sommeil sans rêves.

Il était là lorsqu'elle se réveilla. Assis sur une chaise, en face du lit, il la regardait. Il avait étendu ses pieds bottés devant lui, ses bras croisés reposaient sur son torse qui se soulevait au rythme d'une respiration calme et silencieuse. Randa eut même l'impression qu'il était là depuis longtemps. Elle s'assit dans son lit, s'étira, frissonna un peu. La fraîcheur du soir tombait sur le campement.

— Excusez-moi, dit-elle, un peu nerveuse. Je ne pensais pas dormir aussi longtemps. Quelle heure est-il? On dirait que le soleil se couche...

Et elle mit pied à terre.

— Oui, le soleil se couche.

— Moi qui voulais me reposer cinq minutes! Voilà que j'ai dormi des heures.

Et elle frissonna encore. Par la fenêtre, elle aperçut les ombres violettes du couchant, dans le ciel encore bleu. Le soleil venait de disparaître derrière la crête des montagnes. Ce serait bientôt le crépuscule.

— Vous n'êtes pas curieuse, décréta l'Indien.

— Vous voulez parler du chemisier, sans doute? Vous l'avez donc envoyé.

— Oui. Il arrivera demain matin, de très bonne heure, au domicile du gouverneur.

— Je suppose que je devrais m'en réjouir. Ça peut sans doute activer les choses. Nous verrons...

Randa déchiffonna de son mieux ses vêtements, tira sur sa jupe pour la remettre en place et rechaussa ses escarpins, qui commençaient à avoir besoin d'un sérieux nettoyage.

– Vous avez emmené Scott faire cette promenade à cheval? demanda-t-elle ensuite, presque avec gentillesse.

– Oui, ses progrès sont stupéfiants. Il était mieux fait pour cette vie que pour celle d'un petit garçon modèle.

– Où est-il?

– Je crois qu'il joue aux cartes avec Ernie.

– J'espérais le voir pour le dîner.

– Vous avez manqué le dîner. Nous avons mangé de bonne heure, ce soir?

– Vous voulez dire que je ne le verrai plus avant demain matin?

L'Indien ignora la question et l'expression coléreuse de sa prisonnière.

– Vous frisonnez encore, dit-il.

– Oui, j'ai froid. A vrai dire, je ne me sens pas bien du tout. Je crois que je suis encore plus courbatue que tout à l'heure...

Et pour sa plus grande mortification, Randa se mit à pleurer, sans pouvoir retenir ses larmes silencieuses.

– C'est... c'est votre faute, bredouilla-t-elle. J'ai mal partout. Vous n'auriez pas de l'aspirine? Et puis, mon pouce n'arrête pas de saigner...

– J'avais demandé à Léta de vous faire un pansement.

– Oui, mais il est parti pendant que je faisais la vaisselle. Votre vaisselle!

L'Indien se leva, pour cacher son embarras.

– Vous n'aviez qu'à penser à tout ça avant de vous évader. Je regrette mais vous ne pouvez vous en prendre qu'à vous-même.

– Jusqu'à quand allez-vous me garder enfermée, ici, comme un élève qu'on met au coin?

– Jusqu'à ce que je sois sûr que vous ayez bien appris votre leçon.

Randa baissa les épaules, abattue physiquement et moralement. De grosses larmes tièdes roulaient sur ses joues pâles.

– S'il vous plaît, Hawk, laissez-moi dire bonsoir à mon fils. Cinq minutes seulement...

L'Indien posa le bout des doigts sous le menton de la jeune femme, et l'obligea à relever la tête, à le regarder bien dans les yeux. Puis il chargea les couvertures sur son épaule, et dit :

– Venez. On va aller faire un tour.

Randa se leva d'un bond, essuya ses larmes et se recoiffa tant bien que mal. Dehors, Hawk l'attendait à bord du camion.

– Je ne suis quand même pas mourante, sourit-elle. On aurait pu y aller à pied.

Son sourire s'effaça lorsqu'elle s'aperçut qu'il prenait la direction de la route poussiéreuse, à l'opposé de la cabine d'Ernie.

– Où allons-nous? se rebiffa-t-elle. Où m'emmenez-vous, O'Toole?

– Vous le saurez bien assez tôt, s'amusa l'Indien. Profitez un peu du paysage. Le coucher de soleil est magnifique.

– Je veux voir Scott.

Il ne répondit pas. Randa ne voulait pas lui donner la satisfaction de la voir encore pleurer. Elle se tut également. De toute façon, elle n'avait plus envie d'être désagréable avec lui, du moins pas sans raison, ni par principe. Et puis, n'avait-il pas dit qu'il l'emmenait faire un tour? Au fond, c'était plutôt gentil, après l'avoir laissée enfermer depuis deux jours!

Le camion ralentit bientôt. O'Toole coupa le contact.

– On y est! dit-il.

Randa jeta un regard suspicieux autour d'elle. L'endroit était sinistre, sans arbres, semé de crevasses et d'excavations granitiques.

– Qu'est-ce qu'on est venu faire ici? C'est là que vous allez m'enterrer? plaisanta-t-elle.

Hawk ne dit rien mais il sauta du camion. Il s'empara des couvertures qu'il glissa ensuite, bien pliées, sous son bras.

– Par là! indiqua-t-il, un doigt tendu vers le couchant.

Et il prit Randa par la main.

Ils escaladèrent une gorge aussi lugubre que l'entrée des enfers. Puis ils grimpèrent encore à flanc de montagne, jusqu'à une sorte de plateau en granit noir, d'où la vue sur la vallée était splendide. Randa en eut le souffle coupé. On avait l'impression d'être seul au monde, sur une merveilleuse planète vierge, arrosée des feux de mille soleils, car mille couleurs embaumaient encore les montagnes prêtes à s'abîmer dans la nuit.

Hawk appréciait certes la majesté du paysage mais, contrairement à Randa, la beauté de la nature lui était familière. Il la portait en lui depuis toujours. Il était chez lui, dans ces montagnes. Et son âme n'avait rien à envier aux splendeurs du couchant reflété par ses yeux.

A chaque seconde, une étoile jaillissait dans l'étendue du ciel, comme les premières fleurs du printemps, dans une sorte d'apogée silencieux. La lune se levait et jetait sur le royaume de la nuit son tout premier éclat. Un vent très doux apportait les parfums de l'été, de la sève des sapins noirs, de l'aubépine et des mûres.

— Il faut qu'on se glisse par là, murmura Hawk à l'oreille de Randa.

— Par où? demanda-t-elle, après avoir inspecté la muraille de granit que l'Indien montrait du doigt.

Il la prit par la main et l'entraîna derrière lui. Taillée à même la roche, une faille de trente centimètres de largeur permettait d'accéder à une sorte de caverne, entièrement recouverte de gypse phosphorescent et de quartz bleu. On avait l'impression de pénétrer dans la grotte d'une fée ou d'un magicien.

— Oh! s'exclama Randa, qui allait de surprise en surprise.

Une lumière irréelle baignait la caverne. Faible et pourtant miroitante, elle était comparable à celle de milliers d'étoiles rassemblées sur un carré de ciel noir.

Au centre, plus mystérieuse encore, on discernait une sorte de piscine naturelle, qui bouillonnait gaiement, et d'où s'échappaient des nuages de vapeur bleuâtre. De gros bouillons s'y formaient irrégulièrement, qui faisaient songer aux geysers islandais.

Hawk jeta les couvertures sur le sol miroitant

et, considérant les yeux grands ouverts de Randa, qui regardait tout comme une enfant, il lui sourit avec fierté :

– Ne faites pas cette tête, s'amusa-t-il, ce n'est jamais que la version originale du jacuzzi!

9

– C'EST pour ça que je vous ai amenée ici, dit-il. La source va vous remettre sur pied. Vous en ressortirez sans courbatures, en pleine forme. Vous ne voulez pas essayez?

– Oh si, bien sûr! Il y a si longtemps que je n'ai pas pris un bain...

Randa s'avança vers la piscine. L'eau verte et bouillonnante l'attirait.

– Je ne peux quand même pas me baigner toute habillée!

– Alors, déshabillez-vous.

– Je ne peux pas!

– Comme vous voudrez. Vos vêtements seront mouillés, c'est tout. Ce sera moins agréable en sortant.

Et il se mit torse nu. Randa détourna les yeux.

– J'en ai besoin, moi aussi, avoua-t-il. Vous me faites la vie impossible, ces jours-ci!

Randa délaça ses chaussures, ôta ses chaussettes et sa jupe. La chemise de Hawk lui tombait jusqu'à mi-cuisses. Elle la garda, puis s'aventura dans l'eau chaude, petit à petit, car la différence de température avec l'extérieur avait de quoi vous couper le souffle. Elle ferma les yeux, entendit Hawk défaire son jean et plonger dans le bassin bouillonnant. Il refit surface un moment après, souriant, plus beau que jamais.

— Alors, vous aimez? demanda-t-il avec une gentillesse imprévue.

— Oh oui, c'est formidable! On dirait qu'il y a des centaines de petits jets d'eau qui sortent de partout.

— Ce n'est pas seulement une impression. C'est une source d'origine volcanique. Les anciens lui attribuaient des pouvoirs magiques.

Randa observait les épaules musclées et ruisselantes de l'Indien. Elle n'arrivait pas à oublier qu'il était nu, ni à faire abstraction d'une sourde envie de se blottir dans ses bras. Même la magie lumineuse de la caverne avait du mal à rivaliser avec l'éclat de son regard. La demi-obscurité réveillait ses profondeurs claires, d'un bleu merveilleux.

— Je venais ici avec mon grand-père, expliqua-t-il, quand j'étais gosse, après la chasse. Il me racontait des histoires fantastiques, qui m'impressionnaient beaucoup et dont je me souviens encore. Plus tard, j'emmenais les filles, dans cette caverne. L'eau venait vite à bout de leurs inhibitions. En sortant, elles n'avaient plus du tout envie de me résister...

— C'est plutôt franc de votre part, de me prévenir.

— Oh, vous, il faudrait sans doute vous y plonger une nuit entière, pour obtenir un résultat!

Et ils éclatèrent de rire ensemble, pour la première fois. Ce fut si délicieux qu'ils n'eurent pas l'audace de recommencer. Randa eut envie de profiter de la situation, de la détente prodiguée par le bain, pour rentrer dans le vif du sujet :

– Hawk, commença-t-elle avec douceur, Léta m'a parlé de votre père, ce matin. Elle m'a dit qu'il avait vendu la mine, autrefois.

L'Indien bondit sur ses jambes, et s'assit dans une anfractuosité du bassin. L'eau dissimulait encore ses hanches, mais son torse nu ruisselait. Randa le contempla un moment, en silence.

– Qu'elle aille au diable! dit-il. Les femmes sont incapables de tenir leur langue.

– Il ne faut pas lui en vouloir. C'est moi qui lui ai posé la question.

– Pourquoi vous intéressez-vous à ça?

– Jusqu'ici, je vous prenais pour un criminel, pour un terroriste, pour un renégat sans ambition. Je me suis trompée. Et vous, vous aviez décidé que je passais mon temps dans le lit des amis de Morton. Voilà l'image que vous aviez de moi, et qui est également fausse. Nous n'avons pas été très fins, je trouve.

– Vous confondez l'intelligence et le désir, c'est tout. Nous nous défendions de trop nous plaire, et ça continue, je crois, sans quoi vous ne vous seriez pas baignée avec cette chemise, que vous allez de toute façon finir par enlever.

Il bondit et tendit une main loyale à Randa.

– Si vous voulez toujours que nous fassions un peu mieux connaissance, je connais un excellent moyen pour ça. Sortez de là.

140

La jeune femme le regarda un moment, sans rien dire. Il était beau, si beau qu'elle n'avait pas du tout envie de lui résister. Pour la première fois, elle avait d'ailleurs oublié Scott, et tout ce qu'il représentait pour elle.

— Sortez, Randa, lui dit-il, les yeux dans les yeux. Il ne faut pas rester trop longtemps non plus. Vous finiriez par avoir un malaise.

Randa croyait rêver. Elle contempla le corps magnifique de Hawk O'Toole, cet homme qui lui souriait, puis elle lui tendit la main. Il la hissa hors de l'eau avec une facilité désarmante. Randa voulut encore résister au charme de l'Indien :

— Maintenant, dit-elle, je sais pourquoi la réouverture de la mine est si importante pour vous. Vous voulez réparer le mal commis par votre père.

— Vous ne saurez jamais qui je suis, ni pourquoi, Randa. Pour ça, il faudrait que votre peau soit de la même couleur que la mienne. Tout s'est à peu près bien passé pour vous, parce que vous êtes née du bon côté. Vous ne pouvez pas imaginer ce que c'est que de vivre de l'autre côté de la barrière, et même si vous le vouliez réellement...

— Léla m'a dit que vous aviez abandonné une jolie carrière, en ville. Hawk, personne ne vous oblige à payer les erreurs commises par votre père, sinon vous-même! De quoi voulez-vous vous punir? Vous pourriez mener une vie facile, loin d'ici...

— Si vous voulez vraiment connaître Hawk O'Toole, il n'y a qu'un moyen, souffla-t-il, d'une voix qui ne laissait plus le choix des armes. Venez...

Et il la prit dans ses bras. Son baiser fut foudroyant, si téméraire qu'il était impossible de lui résister. Randa n'essaya même pas. Tout en elle aspirait à l'étreinte de l'Indien. Et il le savait.

Il l'embrassa sans cérémonie, sans respecter la douceur inaugurale à laquelle il se contraignait avec les autres femmes. D'emblée, il fut lui-même, et la plia au rythme de son désir. Il sentait qu'elle ne demandait qu'à le suivre dans cette voie, où les invitaient la nuit tombée, le miroitement phosphorescent et humide de la caverne, et le bassin bouillonnant, chauffé par les entrailles brûlantes de la terre. Soumise à toutes ces influences qui formaient un écrin à la présence de l'Indien, Randa avança ses hanches mouillées contre lui. Ses pectoraux l'écrasaient, chaque fois qu'il resserrait son étreinte. Mais elle lui résistait encore en demeurant presque inerte entre ses bras. Ce qui restait en elle d'hésitation craintive augmentait la fougue de Hawk O'Toole, et la tension brûlante de tous ses muscles contre elle. Il obtint finalement ce qu'il voulait : Randa venait de répondre à son baiser. Elle lui avait noué les mains autour de la nuque. Elle avait laissé échapper un soupir délicieux.

Il s'écarta d'elle, un moment.

Leurs regards se pénétrèrent sans malice, intensément. Ils découvraient qu'ils étaient bien ensemble, que rien ne pressait, qu'ils étaient libres comme l'air de rester dans cette grotte jusqu'au petit jour.

142

La fraîcheur de la nuit s'était infiltrée dans la caverne et se heurtait à la vapeur d'eau du bassin qui bouillait à leurs pieds. Hawk déshabilla Randa sans la quitter des yeux. L'extrémité de ses seins dressés, sous la chemise détrempée, augmenta leur impatience. Mais l'Indien prit son temps. Hypnotisée par ses yeux si bleus, Randa le laissa faire. Il se mit à parler, comme il le faisait toujours, lorsque le désir montait en lui.

Il la souleva de terre et, l'emportant vers les couvertures abandonnées à l'entrée de la caverne, l'y coucha en disant :

– Il va falloir ajouter ça à la longue liste de mes crimes devant l'Éternel !

Un sourire dissipa ce qui restait entre eux d'inimitié. Les caresses vinrent à bout du ressentiment accumulé depuis le premier jour, et qui fut vaincu par tant de baisers si ardemment souhaités, dans le secret des songes, et qui se réalisaient enfin.

Il la pénétra comme il l'avait embrassée, sans jouer le jeu des raffinements sensuels, qui ne satisfont que l'esprit. Randa ne lui demandait pas autre chose. Et il fut pour elle un homme comme elle n'en avait jamais connu. Sa virilité égalait sa franchise. Il était beau. Il était exigeant. Avec son corps, avec son regard, il exigeait d'elle une réponse digne de cette force qu'il possédait et livrait sans partage. Randa le combla en absorbant cette puissance fascinante : il n'y avait pas d'autre réponse que le néant prodigieux du plaisir.

Même la douceur qu'elle lui accorda ensuite

n'était rien, comparée à ce qu'ils connurent, une seconde, un siècle, dans le miroitement d'une caverne perdue au cœur des Rocheuses : Hawk O'Toole eut l'impression de mourir dans les bras de la femme blonde dont il rêvait depuis toujours. Il avait trouvé le repos du guerrier. Et Randa était encore là, lorsqu'il revint à lui, plus vivant que jamais. Elle souriait. Elle était belle. Elle avait découvert que la force d'un homme n'est rien, comparée à l'amour qu'on peu lui donner.

Avec le calme, revinrent les mots et les jeux de tous les jours, qui avaient aussi leur charme :

– Hawk? Dis-moi que je n'ai pas seulement cédé à la magie de cette caverne, comme les autres! soupira Randa, qui se reposait entre les bras de l'Indien.

– Tu ne leur ressembles pas, dit-il, avec une sorte de gravité, comme s'il parlait déjà de l'avenir. Aucune n'était blonde, comme toi...

Ils dormirent ensemble, cette nuit-là. Randa fut réveillée, au petit jour, par un vide auquel elle n'était déjà plus habituée. Debout devant la fenêtre, Hawk regardait le soleil se lever sur la crête des montagnes. Il était nu. La fraîcheur de l'aube ne le gênait pas. Randa contempla un moment ses larges épaules aux muscles arrondis, sa nuque, son dos aux proportions athlétiques, deux fois plus large aux épaules qu'aux hanches. Jambes, mains, pieds, elle trouva tout parfait. Sans un bruit, elle se leva. L'Indien sentit deux mains caressantes glisser sur ses flancs et se nouer sur ses abdominaux. Randa avait moulé son petit corps endormi contre le dos de O'Toole.

– Bonjour, dit-elle, après avoir déposé un baiser sur l'épaule de l'Indien.

– Bonjour.

– Pourquoi te lèves-tu si tôt, Hawk?

– Je n'arrivais pas à dormir.

– Tu aurais dû me réveiller.

– Non, tu dormais si bien...

Il n'avait pas envie de parler. Peut-être aurait-elle dû le laisser seul avec ses pensées, songeat-elle, mais la perspective du lit vide et refroidi ne lui disait rien qui vaille.

– Que regardes-tu? demanda-t-elle avec douceur.

– Le ciel.

– Et à quoi penses-tu?

La poitrine de Hawk O'Toole se souleva, sans bruit, puis s'apaisa, sous les caresses de Randa.

– Au passé, répondit-il. Je pense à mon père, à ma mère, à tout ce que nous avons vécu dans ces montagnes, à la mine, aux enfants de la vallée,...

Du bout des lèvres, Randa couvrait de baisers le dos masculin, dont les muscles se relâchèrent un peu. Sentant qu'il avait besoin d'elle, elle se serra plus doucement contre lui, caressa ses abdominaux tendus, son ventre, ses cuisses. L'Indien fit volte-face et la prit dans ses bras, comme s'il la retrouvait après une longue, très longue séparation.

– Randa, murmura-t-il. Je...

– Ne dis rien, Hawk, mon amour!

Et elle l'absorba en elle, d'un seul coup, noyant

l'épée enflammée du passé dans l'eau bienfaisante de ses hanches et de sa douceur. Hawk
ferma les yeux. Tout son corps frémit comme
sous le coup d'un effort surhumain. Leurs bras
levés formaient un seul portique sur le mur blanc
de la chambre. Leurs mains s'y nouaient passionnément.

Au même instant, une longue plainte déchira
le silence de l'aube. Randa prit l'Indien par la
nuque, avec un regard affolé.

– Hawk! murmura-t-elle, éperdue. La police!

– Ils sont encore loin. Reste un peu...

– Comment allons-nous nous enfuir? A cheval?

– On ne se cachera pas. C'est inutile.

Randa ne comprenait pas. Elle avait peur, peur
de perdre le seul homme qui lui importait au
monde. Les sirènes des voitures de polices, réper-
cutées par l'écho montagneux, se rapprochaient
inexorablement.

– Comment ont-ils fait pour nous retrouver?
Hawk! Dis quelque chose!

– C'est moi qui les ai prévenus, avoua-t-il.

– Toi? Mais pourquoi? Pourquoi as-tu fait ça?

– J'ai décidé de me rendre. Habillons-nous. Ils
seront bientôt là.

Ils se séparèrent. Hawk enfila son jean, Randa
sa chemise de flanelle trop grande et sa jupe
défraîchie. Elle avait envie de pleurer, mais le
calme de l'Indien l'apaisa bientôt.

– Je ne te quitterai pas, murmura-t-elle lorsqu'il
l'eut reprise dans ses bras.

– Il va bien falloir. Ils vont m'emmener.

– Mais ce n'est pas juste...

– Non, peut-être que non, mais c'est comme ça. Je t'ai menti, tu sais. Je n'ai pas envoyé le chemisier par la poste. L'un de nous est allé le porter directement là-bas. Une petite fille à qui ont avait donné une poupée l'a remise à la chancellerie. Deux heures après, j'appelai le gouverneur...

– Le gouverneur Adams?

– Oui, il n'a pas voulu me parler tout de suite, mais comme nous menacions de te tuer, il a fini par céder. On ne parlait jamais plus d'une minute. On changeait tout le temps de cabine.

– Tu n'aurais pas dû, Hawk. Si seulement j'avais été plus... enfin, moins...

– Hier, pendant que tu dormais, j'ai relu le contrat de location de la mine, et je me suis aperçu que tous les terrains environnants avaient été loués avec, ce qui revient à dire que nous ne sommes même plus chez nous. Adams a accepté d'entamer des pourparlers. A deux conditions...

– Lesquelles?

– Que vous n'ayez, toi et Scott, subi aucun mauvais traitement, et que je me mette à la disposition de la justice, sans délai. J'ai accepté, à condition d'être le seul à supporter les conséquences de l'enlèvement. Il m'a donné cette garantie.

Randa s'affaissa un peu. Ses grands yeux verts, mouillés de larmes silencieuses, avaient pâli. Hawk avait quelque chose d'héroïque dans le regard. Son visage exprimait une mâle résolution. Il n'avait pas peur.

– Tu n'as pas parlé de Morton? demanda Randa.

– Non, ça n'aurait servi à rien. On ne m'aurait pas cru. C'est aussi bien comme ça. Nous ne devrons rien à personne, ainsi.

– Hawk!

– Morton sera là, avec des photographes, je suppose. Je te laisse le soin de... de faire comme si tu étais très heureuse de le revoir. Pour Scott, c'est mieux...

– Quoi! Tu veux... que je... que nous rentrions avec lui? Mais, Hawk, je t'aime!

– Reprenez-vous, mademoiselle Price, assena O'Toole, qui avait retrouvé son arrogance des premiers temps. Passer quelques jours avec vous n'a pas manqué de charme, mais tout ça c'est fini, maintenant.

Randa eut envie de crier, de manifester sa détresse. Elle eut envie de le tuer, puis elle eut envie de mourir. Il lui fallut quelques secondes, quelques horribles secondes, pour comprendre qu'il mentait. Mais elle ne dit rien. Les sirènes des voitures de police s'étaient tues. Un cortège de limousines noires encerclaient le campement. Leurs girophares jetaient partout des lueurs orange et bleues qui se confondaient, sur les parois de la montagne, avec celles de l'aube.

Ernie entra dans la cabane par derrière, avec Scott encore tout endormi. Lorsqu'il vit Hawk et sa mère, il courut vers elle.

– M'man! s'exclama-t-il. Ernie dit qu'il faut qu'on rentre à la maison. Je ne veux pas, moi. On ne peut pas rester plus longtemps, hein?

Randa lui prit tendrement la main.

– J'ai bien peur que non, mon poussin!

– Mais je veux rester ici pour jouer avec Donny, moi! Je veux être là pour voir naître son petit frère, et lui apprendre à monter à cheval!

– Scott..., jeta l'Indien.

Ce simple mot fit baisser les yeux à l'enfant, qui se résigna presque à son sort.

– Hawk, reprit-il, je...

L'Indien le fit taire d'un regard. Scott se trouva bête et demeura planté là, sans vraiment comprendre ce qui se passait.

– Laisse-moi prendre ta place, Hawk, intervint Ernie. Je suis si vieux... On a besoin de toi, ici.

– Ne revenons pas là-dessus, rétorqua sèchement O'Toole. Tes fils ont besoin de toi, et ta sagesse est plus grande que la mienne. Tu seras plus utile aux Styrox que je ne l'ai été.

Ernie n'insista pas. Il savait que c'était inutile. Hawk voulait réparer seul les erreurs commises par son père. Personne ne pouvait plus l'en empêcher. Aussi se retira-t-il, sans un mot, après avoir étreint une dernière fois son plus fidèle ami.

Hawk, Randa et Scott marchaient seuls vers une légion de policiers armés, qui formaient un demi-cercle, au pied de la montagne, du côté de la route. Au centre, Randa reconnut le gouverneur Adams en personne, et à sa droite, Morton. La télévision, les journalistes, tout le monde était là.

– C'est papa! remarqua Scott d'une voix désintéressée.

– Oui, articula Randa, qui avait toutes les peines du monde à garder son sang-froid. Tu as dû lui manquer. Il doit être content de te revoir...

– Tu crois, m'man? Et pourquoi il y a tout ces policiers? J'ai peur...

– Tu n'as rien à craindre, mon poussin! Ils vont nous ramener à la maison, c'est tout. Tu pourras aller au cinéma, cet après-midi.

A une vingtaine de mètres des policiers, Hawk fit halte et se tourna vers Randa. Un silence de plomb pesait sur la montagne.

– Je leur ai demandé de vous emmener les premiers, Scott et toi, expliqua-t-il. Ils m'arrêteront ensuite. C'est plus prudent, et pour Scott, surtout, c'est mieux.

– Tu as bien fait, sourit-elle, l'air peiné. Comme ça nous garderons tous les deux un bon souvenir de toi.

Randa le pénétra d'un merveilleux regard qui disait « je t'aime ». Elle voulait graver dans sa mémoire ce visage d'homme qu'elle ne reverrait peut-être jamais à ciel ouvert, mais derrière les vitres fumées des parloirs de prison. Elle but la couleur de ses yeux, leur bleu plus éclatant que celui du ciel, au-dessus de leur tête. Le vent jouait dans ses cheveux noirs. Il avait l'air d'un oiseau de proie. Randa eut peur, soudain, qu'il refuse de se rendre, une fois qu'on les aurait emmenés, elle et Scott.

– Tu viens avec nous, Hawk? demanda le petit garçon.

– Non, Scott. J'ai deux ou trois choses à régler avec ces messieurs. Ce sera un peu long.

– Moi, je préfère rester avec toi.

– Non, Scott. Allez, ne discute pas.

– Hawk, s'il te plaît? risqua l'enfant d'une toute petite voix.

L'Indien serra les mâchoires.

– Tu as toujours le couteau que je t'ai donné? demanda-t-il.

Scott, dont les yeux s'étaient emplis de larmes, tapota fièrement sa poche-poitrine, où il avait dissimulé l'arme d'ivoire.

– Bien. Je compte sur toi pour défendre ta mère, d'accord?

– Oui, Hawk. Je te promets.

Et l'Indien tapota l'épaule de Scott en guise de salut. Puis il se tourna vers sa mère :

– Allez-y. Ils risquent de s'impatienter.

Randa obéit, la mort dans l'âme, et marcha tout droit vers les policiers. Lorsqu'elle eut quitté l'Indien, Morton courut vers elle, les bras grands ouverts, suivi de près par une horde de photographes. Ceux-ci se bousculaient dans l'espoir de faire la photo «émouvante» qui se vendrait à prix d'or aux journaux du soir.

– Randa! Ma chérie! s'exclama-t-il avec aplomb.

Puis il la saisit par le bras, comme s'il reprenait possession de son bien.

– Ils ne t'ont pas fait de mal, j'espère?

Randa attendit que les photographes fussent prêts, puis elle lui jeta le pire des regards dont elle fut capable :

– Ne me touche pas! lui intima-t-elle d'une voix terrible.

Morton sauva la face vis-à-vis des journalistes, et se tourna vers son fils, qu'il prit dans ses bras.

— Décidément, les femmes ne changeront jamais! Et toi, comment vas-tu, mon petit bonhomme?

— Ça va, papa. Mais dis, pourquoi faut-il que je rentre à la maison?

— Scott! ordonna Randa. Viens!

Et elle lui tendit la main. Scott demanda à son père de le reposer par terre. Morton ne pouvait évidemment pas lui refuser ça. Scott nicha alors sa petite main dans celle de Randa. La jeune femme marcha jusqu'à un homme de haute taille, un chauve qui paraissait fatigué, mais dont le regard droit et chaleureux inspirait confiance.

— Gouverneur Adams? demanda-t-elle.

L'homme fit un pas en avant et s'inclina.

— Madame, permettez-moi de vous présenter mes hommages, et ceux du président qui vous souhaite un prompt rétablissement.

— Puis-je vous demander une faveur, Excellence?

— Bien entendu, madame.

— Voudriez-vous demander à ces hommes de rengainer leurs armes, s'il vous plaît?

Le gouverneur accusa le coup, mais il garda son sourire diplomatique. Il pensait que Randa allait demander un médecin, ou de l'eau fraîche, ou des vêtements propres. Aussi tombait-il des nues.

— Eh bien, madame..., c'est un peu délicat. M. O'Toole est un dangereux criminel et...

152

— Vous vous trompez, Excellence. M. O'Toole est un homme d'honneur. Vous pouvez d'ailleurs constater que mon fils et moi-même sommes en parfaite santé.

— En effet, madame, mais nous ne pouvons prendre le risque de laisser s'échapper cet homme.

— Il ne s'échappera pas, Excellence. Il n'aurait d'ailleurs aucune chance de s'enfuir, vous le savez aussi bien que moi.

Les caméras de télévision s'étaient approchées. Randa afficha l'air le plus détendu et le plus souriant dont elle fût capable.

— J'ai une déclaration à faire, Excellence, mais je refuse de parler devant des policiers armés.

— Randa! s'exclama Morton avec une condescendance inouïe. Je t'en prie, ma chérie! Tu as besoin de repos, et...

— Ne me parle pas sur ce ton, rétorqua seulement Randa, qui ne daigna même pas lui accorder un regard.

Le gouverneur leva la main droite, en signe d'apaisement.

— Morton, décida-t-il, votre épouse a une déclaration à faire. Je comprends votre inquiétude, mais madame semble en parfaite santé; elle rejoindra ensuite les équipes de secours. Madame, nous vous écoutons.

D'un autre geste, tout aussi bref, il donna l'ordre de baisser les armes vers le sol. Les hommes du FBI se consultèrent avant de répercuter l'ordre du gouverneur. Un silence chargé suivit. Randa se racla la gorge.

– Excellence, je crois que vous avez eu, hier après-midi, un entretien téléphonique détaillé, avec M. O'Toole...

Il y eut une rumeur parmi les journalistes, qui n'étaient pas au courant.

– En effet, madame, reconnut le gouverneur.

– ... au cours duquel vous vous êtes engagé à servir de médiateur entre les actuels locataires de la mine et ses anciens propriétaires, les Indiens Styrox.

La rumeur augmenta parmi la presse.

– C'est exact, madame Price. Il est possible que les termes de l'actuel contrat aient été rédigés et oblitérées de façon frauduleuse. Mais tout ceci n'est qu'une hypothèse.

– Les coupables, s'il y en a, reprit Randa, seraient donc les rédacteurs dudit contrat et leurs bénéficiaires, plutôt que M. O'Toole. C'est bien ça, Excellence?

– Madame, je l'ignore encore, mais vous oubliez que M. O'Toole et ses complices vous ont enlevés, vous et votre fils Scott. L'enlèvement est un crime au regard de nos lois. Je la représente ici, tandis que ces policiers sont chargés de la faire respecter et d'assurer votre sécurité. Ils vont vous reconduire chez vous, où vous pourrez vous reposer. Nous sommes bien conscients que vous venez de vivre une pénible semaine, croyez-moi.

Morton eut un regard de victoire.

– Excellence, reprit Randa, vous vous êtes engagé à n'arrêter ce matin que le responsable de l'enlèvement, non ses complices, c'est bien ça?

– Oui, madame, rétorqua le gouverneur d'un ton légèrement las.

– Hawk O'Toole n'a fait qu'exécuter les ordres de Morton Price, Excellence, révéla Randa. C'est lui le véritable instigateur du complot.

Les journalistes poussèrent des cris de stupéfaction et de satisfaction justifiés. Morton Price blêmit. Il demeura stoïque, comme s'il tenait pour rien ce qui venait d'être dit.

– Madame, vous rendez-vous compte de la gravité des accusations dont vous accablez votre époux?

Randa fit face aux caméras de télévision.

– Qu'on ne croie pas que je cherche à me débarrasser de lui, sourit-elle avec un clin d'œil à la Marilyn Monroe. Nous sommes divorcés depuis deux ans!

Puis elle reprit son sérieux. Le gouverneur considéra Morton d'un œil attentif.

– Excellence, reprit la jeune femme, Morton Price a manipulé les Indiens Styrox, et leur chef O'Toole, dans le seul bu d'alléger au maximum les frais de sa campagne électorale de novembre. M. O'Toole a cru qu'il obtiendrait la reprise des activités minières de la région, qui font vivre ici des milliers de gens, s'il accordait cette faveur à un membre en place du gouvernement.

Le regard du gouverneur Adams pétrifia sur place le pauvre Morton. L'homme d'État déclara qu'une enquête serait ouverte le jour même, pour vérifier les accusations de Randa. Morton fut placé sous surveillance. Sans elle, il n'aurait pas échappé à la rumeur des journalistes, qu'il avait si habilement mystifiés.

– Il n'en reste pas moins vrai, madame, reprit le gouverneur, que M. O'Toole vous a bel et bien enlevés, dans les faits.

– Vous vous étiez engagé à n'arrêter que le responsable du complot, Excellence, risque Randa, avec une franchise désarmante.

– Hélas, M. O'Toole s'est également rendu coupable de vol à main armée...

– N'importe quel passager du train pourra vous affirmer que pour l'obliger à garder son argent, il aurait fallu « battre » le pauvre garçon qui tenait absolument à se séparer de ses dollars. Il voulait épater sa fiancée, une jeune Anglaise peu avertie.

– Une chemise ensanglantéee fut apportée à la chancellerie, hier après-midi, objecta encore le gouverneur.

– Un accident de cuisine, Excellence, dans lequel M. O'Toole n'a vu qu'un moyen d'attirer votre attention et de se dérober à l'influence de Morton. En somme, ni moi, ni mon fils, ni les passagers du train n'avons jamais été en danger.

Alors, le gouverneur se pencha vers Scott, qui avait suivi toute la conversation, autant du moins que le lui permettait l'étendue de son vocabulaire.

– Scott, demanda l'homme d'État, as-tu eu peur des Indiens?

– Oui, m'sieur, au début, quand on allait à cheval, dans la montagne. Mais maintenant, j'adore monter à cheval. Ernie m'a appris. J'ai encore un peu peur de Géronimo, quand même...

— Géronimo est une chèvre, Excellence, commenta Randa.

— M. O'Toole t'a-t-il fait du mal, Scott? reprit le gouverneur.

Scott parut stupéfait par cette question.

— Oh non, m'sieur! Hawk est épatant...

Scott se retourna et considéra la haute silhouette de l'Indien, qui attendait toujours au milieu de la route, à une cinquantaine de mètres.

— Il ne veut même pas qu'on tue les poissons dans la rivière, si on n'a pas faim. Ni qu'on attrape les lapins, dans la forêt, quand ils sont petits. Il dit que les arbres sont des êtres vivants, comme nous, qu'ils respirent, vivent et meurent comme les gens. Il dit que c'est pareil pour les animaux, qui ont tous un papa et une maman, même les serpents, même les ours. Il dit que les ours sont aussi intelligents que les hommes, mais qu'ils n'ont pas une bonne mémoire, comme nous. Hawk, m'sieur, il sait lire dans les étoiles et raconter des histoires pour les enfants, alors que mon papa, lui, il n'a jamais su. Hawk, m'sieur, il est épatant!

Le gouverneur se releva, convaincu. Comme tous les hommes sages, il savait que la vérité finit par sortir de la bouche des enfants. Il avait gardé cet atout pour la fin, croyant que Scott révélerait les horreurs commises par ses geôliers. Il avait pensé que Randa elle-même était impliquée dans le complot, d'une façon ou d'une autre. Or, il avait complètement changé d'avis.

— Il ne vous a pas maltraitée non plus, madame?

— Non, Excellence.

— Bien. Je m'engage à faire examiner au plus vite le dossier des mines de la vallée. Puis-je à présent vous proposer de vous ramener en ville, dans ma limousine?

— Je suis très touchée, Excellence, mais nous ne rentrons pas à Chicago.

— Vous voulez dire que vous restez ici, madame?

— Tu veux dire qu'on peut rester ici, m'man? se réjouit Scott.

— Oui, Excellence. Oui, mon poussin.

Le gouverneur se retira un moment et parlementa longuement avec les hommes du FBI.

— Jusqu'à nouvel ordre, déclara-t-il enfin, M. O'Toole est prié de rester ici même, à l'entière disposition de la justice, pour une durée indéterminée. Quant à vous, madame, vous voudrez bien faire de même, ces deux prochaines semaines. Votre déposition, enregistrée ce matin par les caméras de télévision, devra faire l'objet d'une confrontation avec tous les témoins que mes confrères jugeront utile de vous opposer. Veuillez enfin assurer M. O'Toole, que je m'occuperai personnellement de son dossier.

— Merci, Excellence, merci.

Et Randa, escortée d'un Scott fou de joie, marcha vers l'homme qu'elle aimait. Lorsqu'il la vit, légère et bouleversée devant lui, il comprit qu'elle venait de sauver leur amour.

— Ce n'est pas moi qui suis allée te chercher, Hawk O'Toole, lui dit-elle, mais maintenant que je suis là, écoute ce que j'ai à te dire. Je sais que je te plais. Je crois même que tu m'aimes. Je pense aussi que tu as besoin de moi. Et si tu ne me crois pas, retournons dans la caverne, prendre un bain, comme hier, et tu sauras que j'ai raison...

L'Indien s'approcha. Il saisit dans sa main brune une poignée de cheveux de Randa, qu'il fit miroiter dans l'or du soleil. Puis, l'attirant à lui, il inaugura par un baiser ardent, leur premier jour de liberté.

LA COMPOSITION, L'IMPRESSION ET LE BROCHAGE DE CE LIVRE
ONT ÉTÉ EFFECTUÉS PAR LA SOCIÉTÉ NOUVELLE FIRMIN-DIDOT
MESNIL-SUR-L'ESTRÉE
POUR LE COMPTE DES PRESSES DE LA CITÉ
LE 5 JUIN 1989

Imprimé en France
Dépôt légal : juillet 1989
N° d'impression : 11314